Cerddi Sir Gâr

Cyfres Cerddi Fan Hyn

Golygydd

Bethan Mair

Golygydd y gyfres

R. Arwel Jones

Argraffiad cyntaf—2004

ISBN 1 84323 374 6

ⓗ y casgliad hwn: Gwasg Gomer
ⓗ y cerddi: y beirdd a'r gweisg unigol

Dymuna'r cyhoeddwyr gydnabod cymorth
Adrannau Cyngor Llyfrau Cymru.

Cyhoeddir o dan gynllun comisiynu
Cyngor Llyfrau Cymru.

Argraffwyd gan
Wasg Gomer, Llandysul, Ceredigion SA44 4JL

CYNNWYS

RHAGYMADRODD

Nod pob un o gyfrolau'r gyfres hon o flodeugerddi yw casglu ynghyd gant o gerddi am un ardal benodol, ei lleoedd, ei phobl a'i hanes. Yn wahanol i flodeugerddi eraill a seiliwyd ar uned ddaearyddol, cyfres *Awen y Siroedd*, er enghraifft, does dim gwahaniaeth o ble mae'r bardd yn dod; yr unig ystyriaeth o ran *Cerddi Fan Hyn* yw ei fod ef neu hi yn canu am yr ardal dan sylw. Cyfyngwyd cyfraniad pob bardd i ddim mwy nag wyth o gerddi ac yn yr un modd ceisiwyd cyfyngu ar nifer y cerddi i un testun penodol.

Cyfyngwyd y dewis i gerddi a oedd yn ddealladwy heb gymorth nodiadau ysgolheigaidd gan ofalu cynnwys y disgwyliedig a'r annisgwyl, y cyfarwydd a'r anghyfarwydd, yr hen a'r modern, o ran beirdd a thestunau. Cymerodd ambell fardd ran fach ar y llwyfan cenedlaethol tra bod ambell un arall wedi chwarae rhan cawr ar y llwyfan lleol; ceisiwyd cynnwys enghreifftiau o waith y naill fel y llall.

Y gobaith yw y bydd y gyfres hon yn un y bydd pobl yr ardaloedd dan sylw a thu hwnt iddynt yn troi ati wrth chwilio am eu hoff gerdd am yr ardal neu wrth chwilio am rywbeth ychydig yn wahanol, ac y bydd yn cynnig darlun o ardal, ei phobl a'i hanes yn ogystal â bod yn ffynhonnell o wybodaeth am yr ardal y byddai'n rhaid lloffa'n eang amdani fel arall.

R. Arwel Jones

RHAGAIR

Gellir dadlau bod holl hanfod Cymru i'w ganfod yn Sir Gaerfyrddin. Ceir o fewn i'w ffiniau ddyffrynnoedd breision a chopaon anial, ardaloedd diwydiannol egr a phentrefi amaethyddol gwledig. Efallai nad oes ynddi eithafion mynyddoedd gwyllt Eryri, tiroedd âr Maldwyn, traethau Môn a sir Benfro na soffistigeiddrwydd dinesig Caerdydd, ond hon yw'r sir Gymreiciaf, fwyaf diddorol, anoddaf i'w diffinio o holl siroedd Cymru. Gobeithio y bydd y cerddi a gasglwyd at ei gilydd yma'n cyfleu rhywfaint o'r amrywiaeth lliwgar hwnnw.

Mae hanes y sir yn hen. Caerfyrddin yw tref hynaf Cymru; sefydlwyd Moridunum gan y Rhufeiniaid, a bu'n safle marchnad lewyrchus fyth ers hynny. Mae'n bwynt dadleuol ai yma y ganwyd Myrddin y dewin – os oedd y fath ddyn yn bodoli o gwbl – ond ni lesteiriodd hynny ddim ar rym y myth amdano.

Mae'r sir yn frith o gestyll hefyd, gan ddwyn i gof y cyfnodau helbulus a fu yn ei hanes. Bu hefyd yn sir grefyddol – mynachlog a phriordy Caerfyrddin ac abaty Talyllychau yn enwog ledled Cymru yn yr Oesoedd Canol, a'i chapeli'n cynhyrchu pregethwyr mawr yn y ddeunawfed ganrif a'r bedwaredd ganrif ar bymtheg. Gobeithio y ceir adlais yma o'r ochr grefyddol hon ond, oherwydd mai cerddi am y sir, ac nid cerddi gan bobl o'r sir sydd yma, gorfu i mi hepgor ambell emynydd enwog. Enwaf yn fwyaf arbennig David Charles, Caerfyrddin, y bûm yn pendroni'n hir ynghylch cynnwys ei emyn enwog 'Mae ffrydiau 'ngorfoledd yn tarddu . . .' a genir fynychaf ar y dôn 'Crugybar'. Dyw hwnnw ddim yma; yn y pen draw, roedd yn rhaid iddo ildio'i le i eraill. Y mae yma un emyn gan Williams Pantycelyn, oherwydd am sir Gâr y meddyliaf bob amser wrth 'edrych dros y bryniau pell'.

Penderfyniad golygyddol hefyd oedd peidio â chynnwys dim cerddi hynafol – wrth hynny golygir cerddi sy'n dyddio o'r ddeunawfed ganrif neu cyn hynny. Er bod bedd Tudur Aled wedi ei gladdu yn sylfeini Tesco Caerfyrddin bellach, a godwyd ar safle hen fynachlog y Brodyr Llwydion –

> Y mae lawnt o farmalêd
> Ar olion Tudur Aled,

chwedl cwpled anfarwol Dafydd John Pritchard – nid oes cerddi o'i eiddo yn y gyfrol hon. Dyw Lewys Glyn Cothi ddim yma chwaith, na

Dafydd ap Gwilym, er bod dylanwad Dafydd ar un o gerddi T. James Jones. Ond braint golygydd yw cael torri ei reolau ei hunan, felly cynhwysais un dernyn bychan o broffwydoliaeth Myrddin, gan ei fod yn gweddu, ac yn hawdd ei ddarllen a'i ddeall ar yr olwg gyntaf. Cynhwysais hefyd un gân werin draddodiadol, a dau neu dri o rigymau gan feirdd anhysbys, ac mae yma sawl darn gan brydyddion o ddiwedd y bedwaredd ganrif ar bymtheg, gan gynnwys Elfed, Nantlais a'r rhigymwr difyr, ond llai adnabyddus, Myrddinfab.

Yn fwy pwysig, ceir yma ddetholiad o waith beirdd cyfoes, gan gynnwys rhai sy'n gynnyrch Ysgol Farddol Caerfyrddin, y dosbarth cynganeddu hynod lwyddiannus a sefydlwyd gan y Prifardd Tudur Dylan Jones yn nhafarn y *Stag and Pheasant* ym Mhont-ar-sais. Un o ddisgyblion mwyaf llachar y dosbarth hwnnw yw'r Prifardd Mererid Hopwood, sydd erbyn hyn yn gyd-athrawes gyda Dylan yn y dosbarthiadau, a gynhelir bellach yn nhafarn y *Queens* yn nhref Caerfyrddin. Mae sawl un o feirdd y dosbarth – Roy Davies ac Eurig Salisbury, er enghraifft, yn ogystal â'r ddau athro, yn drwm eu presenoldeb yma, ond teimlir hefyd gysgod cyn-aelod, y Parchedig Elfed Lewys, mewn dwy gerdd ddwys sy'n llawn deilyngu eu lle.

Mae'r sir yn gyfoethog o leoliadau barddol enwog – Rhydcymerau, er enghraifft, a'r Gelli Aur. O ran ei chymeriadau, mae'r chwaraewyr rygbi a'r emynwyr yn derbyn sylw haeddiannol, ynghyd â'r arwyr hanesyddol, o Wenllian ddewr i deulu Gwynfor Evans.

Roedd yn rhaid pennu trefn i'r cerddi, a pharodd hynny gryn benbleth. Fodd bynnag, roedd yn rhaid cychwyn gyda soned fawr Gwenallt, ac mae'r gerdd gomisiwn a gyfansoddwyd i gyd-fynd â thaith hofrennydd dros Gymru gyfan, 'Sir Gaerfyrddin' gan Tudur Dylan Jones, yn rhoi golwg barcud i ni ar brif olygfeydd y sir ar un tro. Felly teimlwn mai da o beth fyddai rhoi cerddi cyffredinol am y sir i gychwyn y casgliad a hefyd i'w gloi. Ac yna, o ran corff y gyfrol, gan fy mod yn byw ym Mhontarddulais ac yn mynd i gapel yn Llanelli, penderfynais gychwyn wrth fy nhraed, fel petai. Anelu am Gaerfyrddin wedyn cyn teithio mewn cylch ar hyd yr arfordir. Naid wedyn i ogledd y sir, am y ffin â Cheredigion a sir Benfro, cyn ei throi hi am y cyrion gogledd-ddwyreiniol a theithio i lawr Dyffryn Tywi a Chwm Gwendraeth. Roedd yn rhaid dyblu 'nôl i Ddyffryn Aman, cyn gorffen trwy ddilyn afon Llwchwr yn ôl ar hyd y ffin i Bontarddulais.

Daw'r gyfrol i ben gyda'r gerdd a gyfansoddodd D. H. Culpitt wedi iddo ddarllen cyfrol arbennig Aneirin Talfan Davies, *Crwydro Sir Gâr*. does ond gobeithio y bydd darllenwyr y flodeugerdd hon yn teimlo ychydig o'r ymgolli a brofodd Culpitt.

Hoffwn ddiolch i Elin Meek, Mererid Hopwood a Rocet Arwel Jones am lu o awgrymiadau gwerthfawr ar gyfer y gyfrol hon, ac am sawl cymwynas arall. Mae fy niolch pennaf i Mam am gofio a hanner-cofio cynifer o gerddi, am ddysgu gwerth cerdd dant i mi, ac am ei holl ofal a'i chariad diatal. Er mai un o ferched Morgannwg ydyw, iddi hi y cyflwynaf y gyfrol.

Bethan Mair

SIR GAERFYRDDIN

Ni wyddom beth yw'r ias a gerdd drwy'n cnawd
Wrth groesi'r ffin mewn cerbyd neu mewn trên:
Bydd gweld dy bridd fel gweled wyneb brawd,
A'th wair a'th wenith fel perthnasau hen;
Ond gwyddom, er y dygnu byw'n y De
Gerbron tomennydd y pentrefi glo,
It roi in sugn a maeth a golau'r ne'
A'r gwreiddiau haearn ym meddrodau'r fro.
Mewn pwll a gwaith clustfeiniwn am y dydd
Y cawn fynd atat, a gorffwyso'n llwyr,
Gan godi adain a chael mynd yn rhydd
Fel colomennod alltud gyda'r hwyr;
Cael nodi bedd rhwng plant yr og a'r swch
A gosod ynot ein terfynol lwch.

Gwenallt

SIR GAERFYRDDIN

Pe doi Myrddin y canrifoedd
nôl i gerdded llwybrau'r oesoedd
hyd y bryniau a'r aberoedd,

gwelai Randirmwyn ar Dywi,
gwelai aur yn Nolaucothi,
clywai'r gân uwch Llanymddyfri.

Clywai Lyn y Fan am eiliad
yn y cwm yn sibrwd siarad
am y mab a gollodd gariad.

Ac er dod i gwmni newydd,
clywai enwau'r un afonydd
a'r un dyffryn rhwng dau fynydd.

Gwelai ardd ar lawr y glyn – yn tyfu,
A gweld Teifi'n Emlyn,
Gweld Gwendraeth a gweld traethau, – gweld y môr
a gweld mwy nag enwau,
Gweld Aman yn gân i gyd, – synhwyro
rhyw sŵn arall hefyd ...

★ ★ ★

Yn Ninefwr hynafol
yr Arglwydd Rhys, erys ôl
cannoedd o frwydrau cynnar
yn gaerau gynt ar graig wâr,
yn gaerau heirdd lle bu gwres
a meini lle bu mynwes.

Hon yw cân Carreg Cennen,
a mawrhad y muriau hen;
ond mwy na dim ond meini
i ninnau dy waliau di,
mwy na cherrig unigol
yw'r rhai sydd eto ar ôl.

Dryslwyn yr hen gymwynas
sy'n fwy na'r Dryslwyn, mae'n dras,
mae'n arf rydd, mae'n wŷr ar fryn,
a ni'n dal yn eu dilyn,
fesul cam eto'n tramwy
i godi arf gyda hwy.

Ar y maes i drwsio'r mur
mae, eilwaith, angen milwyr;
mae angen gwŷr eleni
i roi'n ôl ein tir i ni,
y gwŷr dan ddraig a erys
heddiw'n rhan o fyddin Rhys.

★   ★   ★

Dim ond rhai wrth fur Cydweli
wêl Gwenllian yn y lle,
dim ond rhai yn Rhydcymerau
sydd yn gwybod be 'di be.

Dim ond rhai sy'n dewis deall
pam fod Gwynfor yn y gân,
dim ond rhai ar draeth Penclacwydd
sydd yn gweld yr adar mân.

Dim ond rhai wrth Lechen Owain
sydd yn deall beth yw llyn,
dim ond rhai ar lannau Cothi
sydd yn cofio Siôn y Glyn.

Dim ond rhai ym Myddfai heddiw
glywodd am feddygon lu,
Dim ond rhai yn nhref Caerfyrddin
ŵyr mai mwy na lliw yw du.

Dim ond rhai wrth Eglwys Cynnwr
sydd yn gweld y bryniau draw,
dim ond rhai ar lannau Tywi
sy'n gweld enfys wedi'r glaw.

Pe dôi Myrddin y canrifoedd
nôl i gerdded llwybrau'r oesoedd
hyd y bryniau a'r aberoedd,

gwelai liwiau i'w ryfeddu
am fod blodau gwylltion 'fory
yn y pridd yn dal i dyfu.

Clywai iaith yr hen, hen hafau,
clywai'r miwsig yn y geiriau
eto'n chwerthin hyd y traethau.

Gwelai gastell uwch yr aber
wedi'i adeiladu'n ofer,
clywai'r gwynt yn dweud yr amser.

Heddiw daw traffordd iddi
yn barhad i'w llwybrau hi,
ac mae Myrddin a'i linach
yn ei chrwydro eto'n iach;
a dod nôl i ddweud wna hi
yn hyderus hen stori,
am fod sir yn hir barhad
yn sir sy'n dal i siarad.

Tudur Dylan Jones

LIMRIGAU SIR GÂR

Bu'n rhaid i bregethwr o'r gogle'
Fynd i gae heb fod 'mhell o Wernogle,
    Ond daeth tarw mawr cas
    A'i hala fe ma's,
A doedd dim byd ar ôl ond arogle!

Anhysbys

Roedd boi bach yn byw yn Sanclêr
Yn cysgu bob nos dan y sêr;
    Roedd e'n iawn yn yr haf
    Pan we'r tywy' yn braf,
Ond pan wedd hi'n o'r, wedd e'n wêr.

Tecwyn Ifan

Mae colier o bentre Gors-las
Wedi gweithio mor hir ar y ffas
    Nes bod cefen ei ddwylo
    I gyd wedi'u cuddio
Â miloedd o greithiau bach glas.

Trefor S. Evans

Roedd bachgen o ardal Taliaris
Yn gyrru ei feic yn ddanjerus,
    Ond pan ar y tro
    Aeth bang fewn i lo,
Mae'n awr yn fwy slo a gofalus.

Jac Oliver

Rhai enbyd yw Puwiaid Llangeler,
Ma'u hanes nhw'n stori ysgeler,
    Dod i lawr yn y byd
    Yw hi arnynt o hyd,
A nawr ma' nhw'n byw yn y seler.

J. M. Edwards

Mae bachgen gerllaw Rhydargeie
Â sbotyn o faw ar 'i dei e,
    Ond gwell gennyf i,
    Fel llenor o fri,
Yw peidio â chwilio am feie.

Jacob Davies

GWAITH DUR TROSTRE

Adeilad lle bu'r dolydd – a dadwrdd
Di-daw lle bu'r ffermydd.
Darfu bro y rhodio rhydd,
I'n tir ni daeth tre' newydd.

W. Rhys Nicholas

CYWYDD CROESO
EISTEDDFOD LLANELLI 2000

Onid braf dod i Brifwyl,
A lle, yn wir, sy'n llawn hwyl,
I hen dref dra chartrefol,
Neb yn haerllug, ffug na ffôl.
Nid oes lle gwell am groeso
I wâr frawd a ddaw i'r fro.

Wrth swch yr afon Llwchwr,
Ar lain deg ar lan y dŵr
Y mae'r Llan, ein hafan ni.
Afallon yw tref Elli.
Dewch i'r stryd a Chae'r Strade
I glywed iaith glyd y de.

Deuwch i Ysgol Dewi,
Ei hiaith yw ein heniaith ni.
Gweled cronfa Lliedi,
Difyr ddawns ei dyfroedd hi,
Hudoliaeth ei phell draethau,
A haul hwyr yn iselhau.

Llefydd bu meibion llafur
Yn llyfnu a dyrnu dur;
Ein tadau a'th deidiau di
Harneisiodd y ffwrneisi.
Aelwydydd ŵyr galedwaith,
Ran o groes gwerin y graith.

Enillodd tîm Llanelli
Gampau a brwydrau a bri,
Arian byw yr hirgron bêl,
Yn gryfion fel Ray Gravell.
O gael rhyw fuddugoliaeth,
Sosban sy'n ffrwtian yn ffraeth.

Gwynfyd yw cael bag enfawr
Yn bur lond o'r bara lawr,
Cael pysgod a ffagoden,
Enllyn poeth sy'n llenwi pen.
Ble'n y fro cewch ginio gwell
Na'r rhython ffres o'r draethell?

'Ymlaen! Ymlaen!' eleni
Ydyw'r nod i'n hen dre ni,
Arwyddair o ymroddiad,
Her i'r glew mewn tre a gwlad.
Oes lle gwell na Llanelli
Neu Lan well i'n Prifwyl ni?

Geraint Bowen

PARC Y STRADE

O deuwn oll yn fintai gref,
Dyrchafwn lef i'r gofod,
Cydunwn yn yr anthem fawr
Yn awr heb un anghydfod
I foli hud y ddaear werdd
Mewn angerdd yn ddiddarfod.

Daw'r llu cefnogwyr o bob llan
I'r llwyfan yn Llanelli,
A gwledd yw clywed hyd y paith
Yr heniaith yn blaenori,
Y brwydro'n hawlio sêl y gân
A chytgan y cymhelri.

O glywed bloedd a galwad chwib
Ar wib dewch eto'n fore
I weld darluniau mur y co'
Wrth grwydro nôl i'r dechre,
Ail fyw hanesion dyddiau pell
Parc Sgweier Castell Strade.

Dros ganrif bellach bu y lle
Yn gartre i'r holl gewri,
Ac am flynyddoedd ni fu neb
Fel R.T. Gabe a'i ynni
Yn arwain tîm ar oer brynhawn
Â'i ddawn i ysbrydoli.

Mewn cyfnod cyn y Rhyfel Mawr,
I'r 'llawr' daeth blaenwr esgud,
Parchedig Alban ddaeth i'r Parc
Gan 'alw marc' celfyddyd,
Bu'n gapten hefyd ar ei wlad
Yn arwain cad o'i bulpud!

Ond gwelwyd draw dros ymchwydd ton
Arwyddion ar y gorwel
O'r gêmau ar y maes ar drai,
A byddai yn anochel

10

Trosglwyddo Parc y Strade'n glau
I awdurdodau'r rhyfel.

Mae sôn o hyd am ddawn y Prins –
'Bert Jenkins, ŵr lledrithiol,
Yn swyno'r dorf bob cwr o'r cae
Â'i chwarae creadigol,
Ac Ivor Jones ac Archie Skym
A'u grym goruwchnaturiol.

Ymhlith y rhai fu'n chwarae rhan,
Daw enwau Stan ac Ossie,
R.H. a Terry, Jonathan,
Griff Bevan, Albert Kelly,
Ac amlwg iawn ymhlith yr hil
Daw Handel Greville inni.

Croesawyd Lewis Jones i'r maes,
Gwnaeth gadfaes o batrymlun
Wrth hudo'r lle â'i symud slic,
Ei gic a'i basio sydyn
O fôn y sgrym, i Onllwyn Brace
Gael mesmereiddio'r gelyn.

Wrth sôn am sêr, i'r theatr hon
Daeth Barry John a'i abledd
Yn gadlyw ar y criw dilys
I'w tywys mewn cynghanedd;
Phil Bennett a Phil May, Quinnell,
A Gravell ar ei 'orsedd'.

Ond os bu gwibiwr ysgafn droed
Erioed ar faes rhyngwladol,
Fe saif yr enw'n uwch nag un
Yng Ngharwyn athronyddol,
Dewiniaeth dros y borfa las,
Ei ffug bas a'i bàs wrthol.

Ni dderfydd siarad am y gŵr,
Yr un hyfforddwr greddfol,
Mor amlwg heddiw yn ei sedd
A'i ddelwedd lysgenhadol,
Er iddo groesi y 'ffin gwsg',
Mae'n peri swyngwsg bythol.

Y Walabïaid ddaeth i'r fro
Ar lawer tro terfysglyd,
Rhoi her i'r Sgarlad brynhawn llwyd
Ond curwyd hwythau hefyd.
Er hynny, darlun Pedwar Saith
A ddengys graith gêm waedlyd.

Fe yfwyd, ym Mil Naw Saith Dau,
Dafarnau'r dref yn sychion,
Yr olaf ddydd o Hydref oedd
'Rôl codi bloedd yn eon
O'r Tanner Banc i'r entrych fry
Wrth faeddu'r Crysau Duon.

Yn gapten ar 'y llynges hon'
Roedd gwron ewyllysgar
Mewn angerdd cloeon yr ail reng
Yn un o wrêng y ddaear;
Rhown fythol fawl ac uchel fri
I'r Delme diymhongar.

Dewch eto'n llu i brofi blas
Cymdeithas ar ei gore
I blith cefnogwyr gorau'r sir
Ar lain o dir y chware;
Mwynhau, ym merw'r Sosban Fach,
Gyfeillach Parc y Strade.

Roy Davies

SOSBAN FACH

Mae bys Meri Ann wedi chwyddo
A Dafydd y gwas ddim yn iach,
Mae'r baban yn y crud yn crio
A'r gath wedi crafu Joni bach.

Cytgan:
Sosban fach yn berwi ar y tân,
Sosban fach yn berwi ar y tân
A'r gath wedi – huno.

Mae Mari y forwyn yn becso
Am Dafydd, holl gariad ei chôl,
Y gath sydd yng ngwaelod y dyffryn
A'r cwrcyn ei hunan sydd ar ôl.

Mae bys Meri Ann wedi gwella
Ond Dafydd y gwas sydd yn ei fedd,
Mae'r babi o'r crud wedi tyfu
A'r gath yn huno mewn hedd.

Mae'r babi yn awr bron priodi
A'i gariad yw merch o Felin-wen,
Mae'n scwintio yn rhyfedd o salw
A brwynen yn tyfu ar ei phen.

Terfynwn yn awr yn ddifrifol;
Y band ddaw i chwarae'r 'Dead March',
A'r gath gadd ei chladdu'n dra doniol
Mewn bocs wedi bod yn cadw starch.

Talog Williams

13

CYWYDD GRAF

Un mawr yn gwarchod muriau
Hen blwyfi'r hil heb lwfrhau;
Un a wylai o'r galon
Yr ing dros y Gymru hon,
Y galon sy'n haelioni,
Y galon hon yw'n gwlad ni.

Ganed wrth ochr Gwendraeth hen
Arwr o gyff y dderwen,
Ac i aelwyd rhyw goliar
Ger ffin y comin a'r cwar
Fe ddaeth chwedloniaeth y wlad
Yn horwth o gymeriad!

A dau o un dyhead
Ymhob dim fu'r mab a'i dad;
Awen wâr y peneuriaid
A wellai holl friwiau'r llaid,
A hen alwad yr hela
Hyd fynydd ar dywydd da.

Ymhob modd fe ddygodd e'
Anrhydedd i gae'r Strade;
Ni fu'i falchach i fylchu
Fel y llew trwy afael llu;
Ennill gwych neu golli gwael,
Ymrwyfai i'r ymrafael!

A manna i Ray'r Mynydd
Ennyn a derbyn un dydd
Ganu mawl y trigain mil,
Cenedl y beirniaid cynnil,
A holl hanes ein llinach
Yn fyw yn y Sosban Fach!

Nid cap oedd cap ond helm cawr
I hwn yn ymgyrch Ionawr;
Yn ei grys ein goroesiad,
Arfwisg aur i faes y gad,
A dur hwn mewn brwydr oedd
Ewinedd hen fyddinoedd.

A gawn eilwaith ganolwr
A heriai gyrff pedwar gŵr?
Marchog yr hyrddiad cadarn,
Ei hwb llaw fel bwyell harn,
A thaclo hwn fel brath cledd,
Gwth y barfog i'th berfedd!

Er garw'r Ffrancwr a'i reg,
Ray a'i rhwydodd trwy'r adeg;
Ciliai Sais rhag hwyl a swae
Un â her yn ei chwarae,
A gwae gwddwg y Gwyddel
Heb ddeffro i basio'r bêl!

Mae ei air ar garlam iach
Yn gwanu'r awyr mwyach;
O'i stiwdio nos a diwedydd
Dawn Ray sy'n tywallt yn rhydd
Ein cawl yn gigog helaeth
O sosban ei ffrwtian ffraeth.

Ar ei waith fe welir ôl
Ei rieni gwerinol;
Dyn gonest yn ei gynnig,
A dyn nad yw'n deall dig;
Mab Darogan y Sianel,
Hen gawr o foi yw Grafél!

Robat Powell

YR ASGELLWR

Ers oes pys, mae'n aros pêl
a'i garnau am y gornel
yn ysu, i droi'r glaswellt
yn Le Mans, yn wely mellt,
ond newynu'r dyn unig
y mae'r bois. Mae'n gêm mor big,
yn gic a chic uwch o hyd,
yn ddifaol, ddifywyd.

Pam anghofio'r dwylo da,
y pyliau pila-pala,
yn rhedeg tri-ffês-trydan
a'r ddawn gweld drwy ddynion gwan?

Hanner gêm heb unrhyw gais –
yr esgid nid y trosgais
piau hi. Yna, daw pêl . . .
daw agor â phàs diogel
a daw o law i law'n lân
i'r dde, nes cyrraedd Ieuan.

Ionawr wynt a'i gyr yntau –
mae'n troi'i ddyn, yn mynd trwy ddau,
y buan gob yn ei geirch
a'i draed o a dyr dyweirch.
Hwylio y mae drwy le main
yn feiddgar, yn fodfeddgain
ac mae'r dyrfa'n gân, yn gôr
i rwygo un gêr rhagor
o'i gluniau a gweu'i linell
drwy bawb, fel rhaeadr o bell.

Mae'n rhydd! Un am un yw'r ras
a ddihuna'r holl ddinas,
ysgwydd wrth ysgwydd 'wasgant,
garddwrn wrth arddwrn yr ânt.
Daw milgi Llanelli'n nes,
mae'i wyneb lawn stêm mynwes,

mae'i holl einioes am groesi
a myn diawl, mae'n mynd â hi!
Mae'n creu lle, mae'n curo'r llall,
yn seren ar gais arall.

Wyt, Ieuan, eog Tywi,
wyt y llam yng ngwyllt y lli,
ein un boi o safon byd,
ein Boeing peryg' bywyd,
ein tyrbo, torpido pell
a'n llwynog ger y llinell.
Wfftiwr pob taclwr wyt ti,
wyt risêt Inter-siti.

Ei ochr-gam ni cheir ei gwell:
yn groesgoes ger ei asgell
gedy'i ddyn o i wylio'i war.
Yr un bac sy'n ddwrn bocsar,
sy'n dwyn canllath o lathen,
y milain ŵr am lein wen.

Tyrd, ysgarlad y Strade,
rho dy ddawn, Goncord y dde;
chwithau, ei dimau, rhowch dân
yn ei law – rhowch bêl i Ieuan.

Myrddin ap Dafydd

PHIL BENNETT

Strade'n darth. Gyddfau'n carthu.
Naw i ddeg. Y pridd yn ddu.
Cael a chael. Stydiau a chwys.
Dwrn ifanc drwy hen wefus.
Y bêl mâs. 'Nôl i'r maswr!
Rhewai'r dorf, a'r sêr, a'r dŵr;
yn wir, pan gâi Benny'r bêl
rhewai llumanau'r awel.

Yng ngalw'r cyfnos arhosem
ryw gais munud-ola'r gêm;
ryw wyrth gan ddewin ar wib,
maswr a wnâi'r amhosib.
Trydanai fêr y teras,
a phigo bwlch â'i ffug-bas
cyn mentro dawnsio rhwng dau
yn Houdini o denau.

Drwy'r stêm sosban o ana'l
torrai i'r chwith at dir chwâl:
sêdist pert o seidstep oedd,
a direidi dur ydoedd.
Tua'r asgell troai ysgwydd
mewn rhyw herc cyn camu'n rhwydd
'nôl tu fewn nes gweld tu fâs
lôn arall i'r lein eirias.

Yma fe welai ymyl
y môr coch rhwng muriau cul:
aroglai hwn ffordd drwy'r glaw,
cyrliai rhwng llafnau'r curlaw.
Cadnoai drac diniwed
am y lein mewn dim o led,
heb ofni neb wrth fwynhau
gwiwera heibio i'r gorau.

Glöynnai rhwng gelynion
i'r ddihangfa ola' hon
yn y gwyll wrth iddynt gau
awyr iach rhwng eu breichiau.
Gyda'r to, fe godai'r tarth
a ddôi heibio i Ddeheubarth
pan welem Bennett eto
yn sgori cais gorau'r co'.

Ceri Wyn Jones

CYWYDD COFFA CARWYN

Yn ein treftad mae adwy,
Enaid y Maes nid yw mwy.
Wele fedd ein celfyddyd,
A baich yw cleber y byd;
Mud pob stryd ger y Strade
A di-air pentrefi'r De.

Heno aeth o Gefneithin
Yr haul a dynerai'r hin.
Eildro ni ddaw'r ucheldrem
A welai gynt steil y gêm,
Y mwynder a'r praffter prin,
Yr hudwr anghyffredin.

Oer yw bro heb yr awen
A llwm yw cynteddau'n llên.
Gorau ŵr coleg yr hil,
Cyweiniwr geiriau cynnil
A rôi fin ei ddoethineb
Inni'n hael, heb wrthod neb.

Maswr y bàs bwrpasol,
Un ciwt ei gic at y gôl,
Y myth chwimwth â chamau
Fel gwenci trwy gewri'n gwau.
Yn y gêm y clywai'r gân
A gwelai wynder Gwylan.

Hyfforddwr craff ei arddull,
Apostol â'i ddynol ddull;
Malu gwŷr y Cwmwl Gwyn
A rhwysg yn y goresgyn,
Dewinwaith yn melltennu
Am sgerbwd o Darw Du!

Ond daeth brad a'n gwaradwydd,
Ni wêl y saint uchel swydd.
Nid hoff gan Gymru broffwyd
A gair noeth a ddygo'r nwyd;

I gyffroi, i lywio'i wlad
I'r heulwen ni ddôi'r alwad.

Wybr o waed goruwch brodir
Cwm Gwendraeth a'i alaeth hir;
Y mae cur yn nhrem y coed
Yn edrych am lanc hoywdroed,
Traed chwim ar y meini mân
A'r llais mewn adlais coedlan.

Daw cryd oerllyd y mwrllwch
Hyd yr allt ar fyd yn drwch,
A thry haul ei athrylith
Yn bendrwm fel plwm o'n plith.

Yn naear y glo carreg
Daw y brain i doeau breg,
A'r gwynt i ddinoethi'r gwŷdd
Yn y wlad heb weledydd.

Robat Powell

CARWYN

O barc i barc yn y bôn,
dienaid yw gêm dynion;
y fywoliaeth gic-filain,
gêm â'i mêr yn gerrig main.
Mae'r ddau dîm â'u hyrddio dig
yn chwim o ddiddychymyg:
rhedwyr fel teirw ydynt,
deunaw stôn o stydiau ŷnt.

Ond yn wâr, gwelai Carwyn
ym mhoen y gwaed y man gwyn:
mawrhâi'r gêm a'i herio i gyd
i feddwl, i gelfyddyd.
Pwysai sill fel pàs allan,
gloywai iaith fel bylchiad glân;
clywai grwth mewn tacl gre'
a gair emyn mewn sgrymie.

I'r canolwyr cynilach
â'u hodl bert, dawel bach,
trewai gord cerdd dant ar gae
a chyweirio'r cyd-chwarae.
I garreg ein llên gwerin
yn ei thro, naddwn *Nine-Three*'n
annwyl iawn a'i alw e'n
Daliesin yr ystlyse.

Ceri Wyn Jones

GWYNFOR EVANS

(am ei ffydd, ei fonedd a'i gred)

Sir Gâr sy ar y gorwel, – ac mae'r haul
    A'r Gymraeg yn isel;
    Mae'r nos fel y meirw'n hel
    Ei düwch drosti'n dawel.

Tawel, rhy dawel fu'r dydd – a'i oriau
    Araf yn ddiddigwydd;
    Bywyd fel pe heb awydd
    I barhau, a ninnau'n brudd.

Prudd yw haf y pridd hefyd. – Na, mi wn
    Am un sy'n dywedyd:
    'Mae'r haf yn y mêr o hyd,
    A chiliodd i ddychwelyd'.

★   ★   ★

Hwn yw gŵr y ffydd garreg
A hwn yw'r dyn ara' deg
I lid; gwirion wladgarwr,
Gwylaidd, boneddigaidd ŵr.
I lyw cenedl y canaf,
A'i fyw er hon a fawrhaf.
Er ei mwyn rhoi'i ymennydd
A'i gorff oll i gario ffydd,
Y ffydd ddihysbydd a ŵyr
Ei enaid fel hen synnwyr.

Os ei i wlad Llangadog
Cei gaeau bras a glas glog.
Mae yno ardd, o'i mewn hi
Dolur ein gwlad a weli.

Gweld dolur geni, gweld dail ar gynnydd,
A sibrwd llwyn yn ysbryd llawenydd,
A gweld ein gwlad yn y gwlydd – yn araf
Droi hen aeaf yn hyder newydd.

Gweli, fe weli yno orfoledd
Brigau llawn lle'r oedd barrug y llynedd,
A gweli ŵr golau'i wedd, – gŵr o blaid
Yr haf, a'i enaid mor fawr â'i fonedd.

Fe ŵyr hwn y gyfrinach
A gŵyr boen y blagur bach.
Trwy sicrwydd llawer blwyddyn
A giliodd, fe ddysgodd hyn:
Ni bu rhyddid heb wreiddiau,
Ni bu ŷd lle na bu hau.

Anial oedd gwlad ei eni, – am hynny
Y mynnodd fynd ati
I'w throi yn ardd a'i thrin hi.

Bu'n hau ar y bannau hyn, – hau breuddwyd
Ar bridd garw'i gyd-ddyn
Fel daear heb flodeuyn.

Heuwr rhyddid ar ffriddoedd – ei hen wlad
Heb ganlyn tyrfaoedd;
Heuwr ymhob storom oedd.

Gwybu'r gwawd lle gwibiai'r gwynt, – wynebodd
Anobaith y cerrynt
Gan barhau i hau ar hynt.

★ ★ ★

Bu'r gaea'n hir a'r barrug yn aros,
Ataliai y rhew betalau y rhos;
A ddeuai haf? Doi'n ddi-os. – Roedd ei gred
Yn ei oged, a'r gwanwyn yn agos.

Gwelsom Gaerfyrddin wedi hir grino
A'i daear gynnar yn ailegino,
A gweld enaid gwlad yno – o'r diwedd
Yn ei anrhydedd yn mynnu rhodio.

24

Yno'r oedd blodyn rhyddid,
Yno'r oedd yr haf yn wrid,
A phob perth yn brydferthwch,
Egin llawn, a'r gaea'n llwch.

Ond daeth yr hydref yn ei dro hefyd
Hyd erwau Sir Gâr gan dreisio'r gweryd;
Pan ddaeth marwolaeth yr ŷd – fe roesom
Waedd o siom, ond ein llyw'n ddisymud.

Haf byr ond haf a bery, – oblegid
Y blagur a ddeffry;
Ni wna'r haf ond gaeafu
Daw ei awr yn y pridd du.

Ac wedyn yn Llangadog
Bydd caeau bras a glas glog.
A gweli ŵr golau'i wedd,
Gŵr mwyn â gwir amynedd.

Gweli yno ffydd y galon ffyddiog,
Y gred a ddeil drwy'r gwaradwydd halog;
Coel na ŵyr calon oriog – ydyw hi,
A gwêl hon godi'r Ddraig o Langadog.

Os yw yn aeaf, mae'n ernes newydd
O'r ha' nas ganwyd, ernes o gynnydd
Hardd a ddaw i'r ardd rhyw ddydd – ar ei daith,
Mae'r addewid eilwaith ym mhridd dolydd.

Geraint Lloyd Owen

I RHIANNON EVANS

(gwraig Gwynfor Evans)

Trwy ddolur neu drwy seguryd, ac oes
o esgusion enbyd,
y mae gardd ynom i gyd
heb ei hau yn ein bywyd.

Ond er hyn daw arweinydd, un fel hon
yn ddiflino beunydd,
i hau, bob blwyddyn newydd,
y darn o dir yn ei dydd.

Ni raid gofyn ond unwaith iddi hi
o hyd, cyn dod afiaith
y Rhiannon hon ar waith,
yn Rhiannon i'r heniaith.

Fe fu yn gefn i ni i gyd i'r eithaf
trwy waith ei hanwylyd;
bu hon yn rhoi bob ennyd
i deulu Cymru cyhyd.

Trwy yr hwyl a'r treialon, er i glais
hagru'i gwlad yn gyson,
ac er y gad, gwraig yw hon
na chilia o'i gorchwylion.

Yn iach yn ôl daw'n chwyn ni yma byth;
gwyddom bawb am erddi
a dagwyd trwy'n diogi,
ond gwyrdd o hyd ei gardd hi.

Ei haeddiant roddwn heddiw, a'i roi oll
i wraig mor unigryw,
rhyw un wên mor gadarn yw,
gardd o hyd mewn gwyrdd ydyw.

Tudur Dylan Jones

TRANNOETH IS-ETHOLIAD CAERFYRDDIN

(Gorffennaf 15, 1966)

Llanglydwen, Henllan Amgoed, Pant-y-caws,
   A glywaist ti eu henwau hwy erioed?
Naddo, mae'n debyg, y mae'n dipyn haws
   Dilyn y briffordd gul na throi i'r coed
A threiglo rownd corneli'r feidir fain.
   Ond mentra arni rywbryd, nid am fod
Blodau yn llenwi'r gwrychoedd a bod sain
   Cylfinir ac ehedydd yno'n glod,
Ond am i Huw o ganol cnaeaf gwair,
   A Jac cyn mynd i yrru'i lori laeth
A Wiliam ar ei ffordd â'r moch i'r ffair
   A Llinos cyn dal bws y trip i'r traeth,
Gredu, ar fore Iau, mai dyma'r dydd
   I fynnu bod eu Cymru'n Gymru rydd.

Margaret Bowen Rees

CHWARAE PLANT

(i Siân ap Gwynfor a holl aelodau'r byncar)

'Chwarae plant',
    dyna'r waedd
ar y dechrau
wrth i ddyrnaid aflêr
swatio dan sgaffaldiau:
glaw mân Medi ar war,
cwde glas gwrtaith
rhagom a'r rhythwyr.

Chwarae tŷ bach,
carreg yn fwrdd,
un fwy'n wely;
delltu to,
casglu tusw o flodau gwyllt . . .

Dyma gêm a'i dis o 'Heddwch'.

      ★   ★   ★

Fry uwch Cwrt y Cadno,
caeau fel papur saim
dros deisen lap wedi eiso,
chithau ar ddau dobogan
yn barod i brofi llechwedd,
  sglefrio'n
    hir
      ar
        gledrau,
sgrech yr eira'n adar newydd eleni,
ôl y sled fel sgarff
    newydd ei wau.
'Treia di fe',
    yr anoglais.

Minnau'n ofni braster a briw
ond dyma'r awydd sydyn

i wneud
er mwyn dweud m'wn,
a throi ymysg y danchwa wen
　　fel eirlys
neu gloch maban,
tri thlws yr eira yn y lluwch.

Ie, rhyw ddydd felly'r oedd hi,
dydd y plu a'r paldaruo,
　　pendramwnwgl,
　　　rhydd.

★　★　★

Cofio'r dydd yng nghlyw'r coegni:
chwarae plant cyn dod i'w coed,
　　sy'n saffach, greda i,
na gêmau chwerw,
　　y chwarae-mewn-oed.

Menna Elfyn

YR HEN ŴR O BENCADER

HARRI II:
'Pa obaith sydd i'th genedl di, yr hen ŵr mwyn,
  Yn erbyn fy myddin hon?
Fe allwn ei dileu hi oddi ar fap y byd
  Mor rhwydd ag anadlu bron.'

YR HENWR:
'Eich Mawrhydi, ni allai eich holl allu mawr chwi
  Fyth orchfygu fy ngwlad
Oni bai am eich cynghreiriad sydd y tu mewn iddi hi,
  Anundeb a swyddgarwch a gwad.

'A gwendidau fy nghenedl sydd yn fy ngyrru, ŵr hen,
  I golli fy nhymer yn lân;
Ond ni all neb ei dileu hi ond dicter mawr Duw
  Ar ben ein dicterau mân.

'Ac o'i drugaredd fe gyfyd Ef weddill bach dewr
  I'w harwain trwy'r argyfyngau i gyd;
A'r rhain fydd yn ateb yn Nydd y Farn fawr
  Dros y cornelyn hwn o'r byd.'

Gwenallt

CYWYDD CROESO

(Gŵyl Gerdd Dant Caerfyrddin a'r Cylch 2001)

Nid yw Myrddin yn blino
efo'r rhai sy'n dod i'w fro,
os dônt yn llawen eu stad
i'n gŵyl, a derbyn galwad
y dydd mewn rhythmau cerdd dant
i ymuno'n y mwyniant.

Ni fu Myrddin yn blino'n
y parthau hyn er cyn co',
â'i ddewiniaeth fe ddenwn
y sawl a fyn glywed swn
awen y ganrif newydd,
awen fyw y Gymru fydd.

Mae Myrddin ynom ninnau:
hyd y lan, mae'n dal i hau
ger Tywi y deri'n dal,
a'i gân yn dal i gynnal
heddiw'r rhai a ddaw â'r had
i'n gŵyl, o dderbyn galwad.

Tudur Dylan Jones

31

MENTER IAITH MYRDDIN

Plannwyd derwen eleni,
derwen wâr i'n daear ni.
Sŵn ein hiaith yw'r fesen hon,
sŵn hiraeth a sŵn wyrion.
Parchwn hi wrth inni'i hau
i'n gweryd, ein tir gorau;
daear a wnaed gan Dywi,
a chan wefr ei chanu hi,
a boed o'i llif iddi faeth,
yn dderwen ym mhridd hiraeth.
Boed i'w dail gael bywyd iach,
arni boed bôn cadarnach,
a boed trydar adar iau
yng nghanol ei changhennau.
Un yw'r Fenter â'r dderwen,
ac i'r ddwy mae gwreiddiau hen,
a hwy'r dail sy'n cario'r dydd
gan awel y gân newydd.
Boed ein trydar a'n cariad
yn y pren, ac er parhad
ein hiaith parhawn i weithio,
para i ddyfrhau pridd y fro.

Tudur Dylan Jones

I YSGOL BRO MYRDDIN

Bu dihareb y derw'n troi erioed
Yn y trai a'r llanw,
Ond mae pren gwerth ei enw
Yn byw yn hir, ebe nhw.

Eurig Salisbury

LLWYBR NORAH

('Llwybrau' oedd enw cartref Norah Isaac yng Nghaerfyrddin)

Mae hiraeth rhwng y muriau
wedi'r Awst oer a'i dristáu,
mae 'na hiraeth am Norah
un a'i dweud yn gwmni da –
Norah'r swyn, yr un o'r sêr,
Norah'r dwrdio a'r dewrder.
Rwy'n colli'i holl storïau
a'r min hwyr – awr eu mwynhau,
colli'i hysgol a'i holi,
hud ei sgwrs a'i dysgu hi,
ond mwya'r golled wedyn,
os colli'r wers, colli'r un
a'i rhodd, ein harweinydd rhwydd,
ein cof aur, ein cyfarwydd.
Ac eto, heno, mae hi'n
ein hannog, ac mae ynni'i
gair hi'n ein gyrru o hyd –
mae'i henw ym mhob munud;
fan draw'n wên yn nyfnder nos
mae Norah'n mynnu aros,
a heibio'r wawr mae'i llwybr hi
yn lôn at fwy o oleuni,
y ffordd sy'n chwalu'r muriau
yr hewl sy'n rhaid ei pharhau.
Mewn hiraeth am un Norah,
y gwneud, y dweud, y ffrind da,
awn ymlaen: mae'i halaw hi'n
rhoi enaid fory inni.

Mererid Hopwood

I MERERID

(adeg ei Choroni yn Eisteddfod Meifod)

Pob ha bellach bu'n habit
I wlad y beirdd glywed bît
Benywaidd byw ein hawen,
Y llais o dŷ Lluest Wen,
Ac ni fu llên eleni
Ein gwlad yn eithriad i ni.

Eleni'n haul ein hen iaith
Yn ôl ar lwyfan eilwaith,
Roedd hyd ruddiau derwyddon
Rhyw wrid wrth wobrwyo hon,
A hon, wrth ei choroni,
A dynnai wên o'n gwrid ni.

Ni thâl unwaith i lenor
O gael ei dwrn drwy gil dôr,
Oni ddaw ias campau ddo'
Yn nilèit dod nôl eto?

I wlad dlawd y teledu
Daeth dy wên, a daeth i dŷ
Un i'w heilunaddoli,
Selèb y noswyl yw hi.
Fe fu'r wên ar wifrau'r Fro
A'i direidi ar radio,
S4C sy'n secsi
O'r andros o'i hachos hi!

Rhown i'r wybren eleni
Yn rhwydd dy enwogrwydd di,
Hen ddawn newydd ein hawen
Yw y *star* o Luest Wen.
Yn Heol Awst neu'n Hollywood
Enw propor yw Hopwood.

Does ryfedd fod tonfeddi
Y wlad o hyd ar d'ôl di,
Heb dy odlau'n y gaeaf
Ni ddôi'r haul, a byddai'r haf
Yn hanner gwag i ni'r gwŷr
Heb Hopwood yn y papur.

Aeth hi'n arfer gan werin
Groesawu gwraig ar y sgrin,
Aeth rhan o lwyfan y wlad
Yn eiddo'i hargyhoeddiad.

Eurig Salisbury

ELFED LEWYS

(Roedd Elfed Lewys yn aelod o ddosbarth cynghanedd Caerfyrddin.
Darllenwyd y cywydd hwn yn y dosbarth y noson cyn yr angladd.)

Ar Nos Fercher arferol
yn y *Queens*, yr oedd llond côl
o chwerthin iach wrth i ni
am ddwy awr ymddiddori:
rhannu geiryn ag arall
a rhoi'n llên gerbron y llall.
Tua'r hwyl yr aem bob tro
a doniau Elfed yno:
canmol a wnâi'r meidrolyn
bob gwaith ond ei waith ei hun.

Mae'n nos Fercher arferol
hyd y lôn, a stryd o lol
mewn anwybod yn codi
eu c'lonnau hwy i'n clyw ni,
ond o fewn ein huned fach
hen hiraeth a'i try'n oerach,
ni welan nhw'n gwagle ni
na rhannu'n holl drueni.
Wedi mynd y mae ei wên,
y lliw a'r chwerthin llawen.
Yma'n awr mae'r cwmni iach
un dolur yn dawelach;
tawelwch, a ni'r teulu'n
wacach, yn wacach o un,
un yn llai yma'n y lle
o raid, un llai'n y Strade,
un yn llai i fwynhau llên,
i agor Cân y Blygien,
un dewr o hyd yn y drin,
un yn llai'n y Gorllewin.
Daw'r alwad yn wastadol
am glywed Elfed yn ôl,
un a fu ddeddf iddo'i hun
y gwylaidd unigolyn.

Bonheddwr werinwr oedd,
baledwr y bobl ydoedd,
hwn, gyfaill ac atgofion
ym mhob plwy o Fynwy i Fôn.
Pan ganai faled wedyn,
baled oedd Elfed ei hun,
a'r gân mor wâr ac uniaith
drwy ei fod, yn stori faith.
Â ninnau i gyd mewn un gell
nid wyf yn gweld y stafell
yn llawn, mae hi'n stafell wag
heb un, a pha beth bynnag
ddwedwn ni, ni ddoi di'n ôl
i'r yfory arferol.
Ond, yn nwysedd ein gweddi
i'w gael yn ôl, fe glywn ni
Elfed yn cerdded trwy'r co'
atom i'r dosbarth eto.

Tudur Dylan Jones

SONED GOFFA'R PARCHEDIG ELFED LEWYS

Ni chafodd heulwen Chwefror ffordd yn glir
I ddod i blith y dyrfa yn y Cwm,
Roedd olion dagrau'n blaen dros lethrau'r tir,
A holl gymylau'r Nef o liw y plwm,
Ond daeth y llu cyd-wladwyr yno'n un
I ddiolch am ei gael, a thaflu trem
Yn ôl dros daith y Cristion yn gytûn
Ac eilio'r deyrnged gafodd gan Eff Em,*
Mae'r faled bellach wedi mynd yn fud
A llenni'r ddrama hefyd wedi cau,
Ond tes ei gyfeillgarwch fydd o hyd
Yn llenwi'r cof dros erwau yr hoff bau,
Ei fywyd oedd ei wlad a'r pethau gwâr
A Chymru gyfan oedd ei filltir sgwâr.

Roy Davies

---

* Parch F. M. Jones, Abertawe, oedd yn gwasanaethu yn yr angladd.

I GEORGE

(Sy'n dal i 'fyw' yn Ysbyty Meddwl Dewi Sant, Caerfyrddin)

Dau o'r gloch ar brynhawn o haf
ac mae'r gwres, a'r bwyd,
a'r bilsen fach binc
wedi dy lapio di'n dynn
yng nghwrlid melys, anghofus
        cwsg.

Yna yn dy sedd blastig,
'geriatrig', goch
nid oes gwahaniaeth rhyngot ti
a'r hen ddyn bach ym mharc y dre':
dy wallt gwyn,
dy geg laith, pinc, diddant
a'r dwylo rhychiog
ymhleth fel capan crwn
dros dy glamp o fol.

Mewn cwsg, nid oes ffin
rhwng y normal a'r annormal,
rhwng yr iach a'r afiach,
rhwng y dyn bach yn y parc
        a George.

Ond labelwyd George a'i debyg
gan gymdeithas barchus, glyfar, ar ddihun
yn wel . . .
yn od,
a'i wthio heb 'styried
ei oedran, na'i brofiad,
na'i radd B.Sc.
i fyd y ffedogau plastig,
a llwy yn lle cyllell a fforc,
i fyd y toiledau heb ddrysau,
y cymôd,
a'r gorchudd plastig dros
y matres (jyst rhag ofn);

a'm dwylo amhrofiadol ifanc i
sy'n ei wisgo, a'i siafio,
a'i gadw'n lân.

Paid agor dy lygaid, George,
rhag i mi weld unwaith eto
greithiau'r oriau o syllu ar
ryddid drwy'r ffenest,
ac o wrando ar y drws
yn agor a chau,
yn agor ac yn cau.

Lona Llywelyn Davies

DDOE, HEDDIW, YFORY

Roedd
bwrlwm o barablu
yn atseinio ar lwyfan y lan,
a hithau Tywi
yn herio a denu,
wrth gyfeilio'n rhydd
i genhedlaeth arall o Arglwyddi Rhys
a Phêr Ganiedyddion.
Ond daeth llif.

Nawr
mae diferion o eiriau
yn canu'n ofalus
ar ddibyn y geulan
gan fentro ambell alaw ddistaw
i gyfeiliant llonydd yr afon,
wrth i gloriau dysg
yn fecanyddol glecio a threiglo'r cytseiniaid.
Fe'n boddir.

Fe fydd
y mudandod yn taranu
wrth i'r afon gordeddu ar ei thaith,
a rhywle yng nghof un neu ddau –
nodau unig
o hen gân y gorffennol
yn gogleisio'r llif.

Dyfrig Davies

PROFFWYDOLIAETH MYRDDIN

Llan-llwch a fu
Caerfyrddin a sudd,
Abergwili a saif.

'Caerfyrddin, cei oer fore.
Daear a'th lwnc, dŵr i'th le.'

Anhysbys

-

LLANSTEFFAN

Mor llonydd yw'r plethwaith gwylanod uwchben y castell
Fel petaent wedi tyfu i mewn i'r heulwen am funud.
Bydd eisiau ymarfer â phresenoldeb gwylanod
Er mwyn cadw'u hehediad ysgafn pan na fyddont yma.
Mae fy stumog yn twymo atynt.
Trônt ar eu hadain hudol yn erbyn yr awel;
Rhwyfant, fel afon, 'rwyf am ostwng cwpan ynddi,
A llifa'i holl blu dros fy mhleser.

Cof castell, cof pentref, cof pobol yn gwylio adar
A Thywi'n mydru pryder ar ei thywod:
Mwythant dinc addoli heb ei gynhyrfu.
Hen bentref tlws lle y daw'r holl fyd i ymddeol.

A chlywir oglau adfail yn yr oedfa:
Fan draw, y brain yn eilio cwt eu hemyn,
Ymlyniad dof defodau twt eu teidiau
Yn gwyro gerbron sgerbydau atgof a fu
A'r bobol islaw (ai pregethwyr?) yn dyfynnu Saesneg.

Hwyl lân i'r gwylanod fel angylion ar hynt trwy'r pentref!
A goleddant hen anian ysbrydion y byw a gleddir?
Yr haul yw'r enaid unig ar eu hadain.
Yn ias hir luniaidd glawiant mewn cylch isel
I sibrwd purdeb wrth y malurion cyfoes,
Cysuron gwib cyn dringo ar gefn y glesni.
O! gofaler ymarfer â phresenoldeb gwylanod
Er mwyn cadw'u hehediad ysgafn pan na fyddont yma.

Bobi Jones

GWENLLIAN

Cyfoesedd cof sydd cyhyd
â Hanes.Y mae ennyd
rhyw farw hen mewn hen oes
i'r cof yn farw cyfoes.
Yr un o hyd yw'r hyn oedd,
un rhyfel yw'r canrifoedd.

Y mae'r cof am wraig hefyd
a'i hangau hi'n dwyn ynghyd
ein doeau oll i un dydd,
a'i breuddwyd o'r boreddydd
yr un o hyd â'r hyn oedd –
Cymraes yn camu'r oesoedd.

Y mae'n un â'n mamau ni,
ac ynom ym mhob geni,
yn parhau ym mhob rhiant,
a'i hepil hi yw ein plant;
ynddi hi Cydweli ddaeth
yn Gydweli'n gwaedoliaeth.

Daw i ni ein doe yn ôl;
pris Hanes yw'r presennol.
Hil heb lais na hawl, heb wlad
na ffin yn amddiffyniad,
heb wir dir, yn frodorion
y Gymraeg ddi-Gymru hon.

Hawliwn y tŷ, mynnu'n man
law yn llaw â Gwenllian.
Byddwn nerth i'w byddin hi
a'n holl hil yn lleoli
ei henfaes hi yn faes her –
un Wenllian yn llawer.

Cyfoesedd y cof oesol
wna'i hangau hi'n fyw yng nghôl
ei holynwyr eleni.
Trown ninnau, trwy'i hangau hi,
hen freuddwyd yn foreddydd,
un Gymraes yn Gymru rydd.

Gerallt Lloyd Owen

GWENLLIAN

O Ystrad Tywi gynt un gwanwyn oer,
Arweiniaist werin dlawd
Yn fyddin falch i herio'r Norman cry',
A herio'i rym a'i wawd.
'Rhyd glannau gwyrddion Gwendraeth fach
Mae yno'n dal – yr hud
Sy'n cyffroi calon – ac fe glywn yn glir
Dy her a'th waedd o hyd.
Arwain ni Gwenllian – Arwain ni,
Cael mymryn o'r dewrder a'r ffydd a gefaist ti –
Heddiw yw ein gobaith ni.

Os ymladd dros dreftadaeth fu dy ran,
Er iti golli'r dydd
Byw fydd dy enw 'nghof y werin hon,
Ar waetha'r atgof prudd.
O gyrion tref Cydweli draw
Wyth canrif alaeth hir,
Fe glywn dy lais trwy'r niwl yn cyffroi'r cof,
A'th her i ni yn glir.
Arwain ni Gwenllian – Arwain ni,
Dy ysbryd, dy hyder, yw'r hyn a geisiwn ni,
Gwenllian, ein cof wyt ti.

Peter Hughes Griffiths

CYDWELI

('O'r bwâu ar ben y tŷ-porth gellid gollwng taflegrau ar ben y gelyn
islaw . . .' *Llawlyfr Cadw*. Welsh Monuments.)

Mae cestyll ein cau allan yn trigo ynom i gyd;
mae'r hanes na chawsom yn rhan o'n stori o hyd.

Er bod danadl poethion y beddau i fyny'r cwm
yn llosgi at y lloer ac yn cynllwynio'n drwm
sut i hau y maes agored gyda'u henwau;
er bod llafar y llafnau o hyd yn ein pennau,
yma, mae'r gwendid am bropaganda sydd gan gestyll
yn bloeddio a byddaru; mae'r swagar yn sefyll;
mae ein darostwng hyd waliau
yn wyn ei sloganau
a rhwng y meini
mae esgyrn y bradwyr rheiny
wedi'u berwi'n galch a'u caledu'n forter i hwn:
Gwenllian, Morgan, Maelgwn a Harri Dwn.

Ei cholli, medd Cadw-sbîc, oedd bod Cymry'n y dre
gan ddathlu eu hawl i'w sillafu gyda 'K'.
Ffoi wnaeth y *townsfolk* rhag y *self-proclaimed* Glyndŵr;
relief oedd cael yr Eingl yn ôl ar y tŵr;
advances oedd dull y Norman o ehangu'i diriogaeth;
onslaught oedd y freuddwyd Gymreig am gadw Gwendraeth.

Mae'r rhai sy'n ei gadw yn cadw'i fwldogaeth,
yn rhoi eu baner ar ei dŵr i dalu'u gwrogaeth,
yn sefyll ar y porth, a'n pledu gyda'u cerrig
am fod ynom o hyd y balchder sydd mor beryg.

Myrddin ap Dafydd

Y FERCH O GYDWELI

Dôi merch o Gydweli
A'i chroen fel yr heli
A'i gwallt hi yn grychiog fel tywod y traeth,
   A hwnnw yn felyn,
   A'i llais fel y delyn,
A'i chorff hi yn union a syth fel y saeth;
   Hi griai o'r heol
   Fore Sadwrn, fel rheol,
   'Gymrwch chi rython, gymrwch chi gocls,
   Gymrwch chi rython heddi', mam?'

Yn fore roedd hi'n gweithio,
   Yn cerdded ac yn teithio
Bob cam o Gydweli i lan hyd y Glais;
   Yn fy ngwely y bore,
   Mi wnawn i fy ngore
I wrando a glywn i nodau ei llais;
   Hi griai o'r heol
   Fore Sadwrn, fel rheol,
   'Gymrwch chi rython, gymrwch chi gocls,
   Gymrwch chi rython heddi', mam?'

Hi gariai ei beichiau
   Yn drwm yn ei breichiau,
A llawn oedd pob basged o rython di-ri:
   Ac mi gariwn y cwbwl
   Yn wir heb ddim trwbwl
Pe cawn i un cusan gan ferch glannau'r lli;
   Ac mi griwn o'r heol
   Fore Sadwrn, fel rheol,
   'Gymrwch chi rython, gymrwch chi gocls,
   Gymrwch chi rython heddi', mam?'

Er chwilio a chwalu,
   Rwy'n methu dyfalu
Pa beth a ddigwyddodd i ferch glannau'r lli:
   Ai priodi a wnaeth-hi?
   Ai i'r beddrod yr aeth-hi?

Ond hiraeth sy'n hollti fy nghalon fach i;
   A daw'r eco o'r heol
   Fore Sadwrn, fel rheol,
   'Rython . . . cocls,
   Gymrwch chi rython heddi', mam?'

                              Gwenallt

Y DERYN DU A'I BLUFYN SHITAN

Y deryn du a'i blufyn shitan
A'i big aur a'i dafod arian,
A ei di drosto'i i Gydweli
I sbio hynt y ferch rwy'n garu.

Un, dau, tri pheth sy'n anodd i mi,
Yw rhifo'r sêr pan fo hi'n rhewi;
A doti'n llaw i dwtsh â'r lleuad;
A deall meddwl f'annwyl gariad.

Llawn iawn yw'r wy o wyn a melyn;
Llawn iawn yw'r môr o swnd a chregyn;
Llawn iawn yw'r coed o ddail a blota,
Llawn iawn o gariad ydw inna.

Traddodiadol

Y CRYTHOR O BEN DEIN

Rhyw hwyrnos gynt troes Crythor blin,
A'r storm yn sgubo'r traethau,
I'r Ogof hen sy 'nghraig Pen Dein,
Cynefin drychiolaethau;
A chysgu yno 'nghwmni'i grwth
A wnaeth ar faen obennydd;
A'i fryd oedd dilyn ar ei daith,
Pan giliai'r storm o'r glennydd.

Deffroes – a'r dymestl eto'n ffrom;
A hud yr Ogo'n tynnu,
Cerddodd ymhell drwy lwybrau'r gwyll
A'i ffagl yn dal i gynnu;
Eithr, wele, 'n sydyn diffodd wnaeth
Yng ngwyll y pellter yno;
A'r Crythor mwyn yn ôl ni ddaeth,
A byth ni welwyd mono.

Ond pery'r goel ar draeth Pen Dein
I gerdded mewn sibrydion:
Bod Rhys y Crythor yno o hyd,
Yn llawenhau'r ysbrydion.
Ac ambell hwyr pan beidio'r gwynt
Â'i gynnwrf a'i chwibanu,
Fe glywir sŵn ei grwth o bell
O fewn yr Ogo'n canu.

John T. Jôb

TALACHARN 2001

Sêt i un yn y Brown's Hotel – yn wag
   A neb yn y gornel;
  Ond gwên ei awen sy'n hel
  Eto ar geg y botel.

Iwan Llwyd

Y TRO OLAF

Myfyrdod ar daith angladdol

(er cof am Mam-gu Deri)

Awn ar y feidir gul
i Gwm-pen-graig:
yn araf siwrne olaf
gydag un genhedlaeth;
nid taith mebyd i firi'r cwrdd
i glyw canu afreolus
heb gymorth llyfr,
ond yn ddistaw a du
a difelodi.

Pasiwyd hen aelwyd ein hafau
am yr olaf dro,
ni ddaw'r osgo hamddenol
i'n croesawu,
nid yw'r drws yn agored
i gyfeillach y caeau;
caewyd cymdogaeth
a chloir yr hwyraf o'r hil
yn enw'r angof
uwch mangre'i chred.

Awn ar y feidir gul
i Gwm-pen-graig;
ni fydd ystyr i'r daith mwyach
gyda'r Gair wedi nychu
ar wefus bur mechnïwyr y gro.

Ac i ble yr awn
wedi dymchwel y dderwen hynaf?
I ble yr awn
i gael gwêr?
I ble yr awn
i chwilio cysgod ei ffydd?

Menna Elfyn

DIWRNOD I'R BRENIN

(I Dat)

Un ha' bach Mihangel,
cyn y gaeaf anochel,
roedd ein siwrne'n anorfod,
yn bererindod.

Dringo'r Graig Fach
o Gastellnewydd Emlyn
heibio i'r perci bara-menyn,
ei berci llafur 'slawer dydd,
a'u cyfarch â gwên adnabod,
fel pridd o'u pridd.

O ffarm i ffarm, agor ffordd
â chof pedwar ugain haf
a gaeaf.
Enwi
pob amlin a ffin a ffos
o'r map ar gefen ei law.

Ac er bod naws gaeaf hir
yn goferu i afradu'r haf,
roedd enwau'r cwmwd
fel gerddi cymen.
Danrhelyg a Phenrherber,
Terfyn a Shiral a'r Cnwc.
Cefen Hir, Penlangarreg,
Glyneithinog a Llwynbedw –
crefftwaith cartograffeg
brenin ei gynefin hud.

Fe oedd y map,
a mwy.
Ni cheir ar fap mo'r tramwy
o glos Dôl Bryn
at ysgol Parc y Lan
na'r rhedeg 'nôl.

Ac ni cheir gwên y chwarae
na'r troi chwerw
i'r gwâl yn gosb cyn swper,
na mynd ar ras drwy'r pader.
Ni welir mewn un ordnans
gosi'r samwn mas o'i wely,
na maldodi cloffni
llo bach ca'-bach-dan-tŷ.

Nid oes groes lle dysgai'n grwt
dorri gair ar goedd â'i Geidwad.
Nid oes liw o'r bryncyn hud
lle bu'n llanc yn cwrso'i gariad.

Aros
i gofio cyfoed agos
yn danto byw ym Mhant Ishelder.
Oedi
i glywed sgrech digofaint
teulu'n disgyn i Dre-din.

Dod at fforch –
un hewl i Gwm Difancoll,
a'r llall i Ebargofiant.

Ni cheir mo'r rhain ym mhlygion
atlas Cenarth a Chilrhedyn,
ond fe'i ceid i gyd ymhlyg
ar ddalen ddwys ei gof.

Troi at ddalen newydd,
ac yng ngwres ei lais,
clywed cymanfa hau a medi,
hosanna sychau'r cwysi union
yn troi'r tir glas yn berci cochion,
a haleliwia hen galonnau
rhagorol eu brogarwch.

Troi dalen arall,
a'm harwain hyd y feidir
at fynegbyst yr ail-filltir.

Yn y fan a'r fan
bu'r caru'n fwy
na'r hyn oedd iddi'n rhaid.

Yn y lle a'r lle
bu estyn llaw
drwy waed y llwyni drain.

Bu hon a hon
tu hwnt o hael,
a'i bara'i hun mor brin.

Âi hwn a hwn
i fachu'r haul
i roi ei wawl ar wair ei elyn.

Roedd rhyw ystyr hud i'r siwrne,
ac er bod hydre'n gennad
i'w fyrhoedledd
a'i ddiwedd ei hun,
erys tirlun troeon-yr-yrfa
ffel ffermydd John Elwyn yn y cof.

Fel un cyfrin o'r cynfyd
trôi'r cyfarwydd
hanes bro yn chwedl,
a cheinciau'n ymestyn
o Genarth i Gilrhedyn,
a'r digri bob yn ail â'r deigryn.

Cyrraedd Cwm Cuch,
a'r Fox an' Hounds,
a'r pererin,
yn ôl ei arfer,
yn tynnu ei gap,
a chyfarch y Sais
a ddiferai'i gwrteisi –
hwnnw a hudodd wledydd
i'w troi'n goch ar fap y byd . . .

Ar ôl rhoi'r byd yn ei le,
a thrafod tywydd
y mileniwm newydd . . .

gydag ystryw debyg i un Pwyll yn gwisgo pryd
a gwedd Arawn yn Annwfn, cymryd a wnaeth yr
henwr agwedd dieithryn. A than hudlath llygaid
yn pelydru arabedd cynhenid y Shirgar, sef a
wnaeth Mewnfudwr, twrio o dwba ei ystrydebau
am hyfrydwch Bro Emlyn. Ac ar hynny, ad–ddodi
a wnaeth Mewnfudwr y buasai hi'n fuddiol i'r
henwr, cyn cyrchu ei lys ei hun, fynd parth â'r
castell i weled adfeilion y sydd yn dygyfor
rhamant mil o flynyddoedd y cantref. Sef a wnaeth
yr henwr, cytuno hyfryted ganddo fuasai
gwneuthur hynny'r nawnddydd hwnnw, gan ei
bod hi'n ddiwrnod i'r brenin.

Do you know your way there?

Â gorfoledd pererin ar ei daith tua thre
atebodd y brenin yn gadarnhaol,
ac atodi'n hamddenol, wrth wisgo'i gap
fod gan ei fab fap.

T. *James Jones*

DYFED A SIOMWYD?

Dyfed a somed, symud – ei mawrair,
    Am eryr bro yr hud . . .

(Marwnad Dafydd ap Gwilym i'w ewythr Llywelyn ap Gwilym, o'r
Ddôl Goch, Cwnstabl Castellnewydd Emlyn. Roedd Dafydd yn
    cydnabod ei ddyled i'r gŵr dysgedig hwn.)

Ma' gwynt tra'd y meirw
yn troi'r rhedyn heibo
ar y fron anniben uwchben Cwm-bach . . .

Cofio gorwe' fan'ny'n grwtyn
â'r houl yn crasu'r rhedyn.
Pob parc yn gynefin –
Parc Llwyncelyn, Parc y Plain,
Cwm Mora, Bariwns Coch a'r Llain . . .
Clos Parc Nest yn llochesu'r llyn,
a'r helygen yn ildio'i changhenne
fel dagre i'r dŵr . . .

Hafe cricet a wherthin o'dd 'rheini.
Dat wrthi'n bato ddiwedy' cynhaea',
â'i ydlan yn ddiddos.

Pan ele'r bêl i'r llyn y dele'r gêm i ben . . .

Troi'n fab-yn-dod-gatre.
Cerdded lle bues i'n rhedeg
'â'm llyfr yn fy llaw'.
Ond er nabod rhai wynebe,
naw o bob deg heb enwe . . .
A'r cloc yn taro'r unfed awr ar ddeg . . . .

Bro'r hud yn fro'r mewnfudwyr.

Dou Sais fel gafrod syn
heb glywed am ysgol y sgwlyn
yn y Ddôl Goch, lan y dyffryn.

'The school did you say?
It's Category A.
But our kids are O.K.
with Education First down the valley . . .'

Mab-a'th-o-gatre
heb gau'r iete,
gan adel i'r gafrod bori'r perci i'r byw.
Gadel i'r rhedyn egino'n yr ydlan,
a'r helygen i lefen y glaw . . .

Ody'r bêl yn y llyn?

T. James Jones

DOCTOR ALAN

I fradwr a gaiff fod yn ddienw . . .

Glywsoch chi sôn am ddyn bach o Sir Gaerfyrddin?
Mae'n treulio peth o'i amser draw yn Nhŷ'r Cyffredin,
Ond pan fydd y gelyn yn bygwth yr henfro
Lawr yn Sir Gâr neu draw yn Sir Benfro
Mae hwn yn siŵr o garlamu yno – DOCTOR ALAN!

Mae hwn yn un dewr ac fel ASyn o benderfynol
Mae'n agor ei geg ac yn stwffo'i droed i'w chanol,
Mae'n achub cam y Saeson uniaith
Yn siarad yn rhugl iawn mewn bratiaith,
Yn feistr ar falu awyr mewn dwy iaith – DOCTOR ALAN!

Bydd y Saesneg yn saff tra bydd bois fel fe obeutu,
Amddiffyn yr 'Iwnion Jac' yw ei unig 'diwti',
Mewn gwlad sy'n llawn o'r cachgwn rhyfedda
O ben draw Clwyd i lawr i'r Rhondda,
O'r holl gachgwn, hwn yw'r mwya – DOCTOR ALAN.

Os oes athrawon cas yn dysgu'ch plant chi
Ac yn eu 'fforso' nhw i ddweud 'Wel shwt mae heddi?'
Sefwch lan dros y 'Cwîn' a'r 'Neshyn'
A gwedwch ych bod chi moyn 'ediwceshyn',
Rhedwch draw i gael 'prescripshyn' – DOCTOR ALAN.

Wel, bois, mae'n rhaid i'r werin godi eto
I achub cam yr heniaith ym mro Waldo,
I sicrhau i'r Gymraeg ei dyfodol
A dangos parch i'w hen orffennol
A dangos bradwr mor uffernol yw DOCTOR ALAN.

Dafydd Iwan

Y WÊN NA PHYLA AMSER

Roedd hwn mor rhydd â'r awel
Yng nghoedwig Esgair-ceir,
Yr awel sydd yn chwythu lle y mynn,
Ni fedrodd muriau carchar
Gaethiwo'r galon fawr,
Y galon sydd yn curo dan yr ynn.

Cytgan:
Y wên na phyla amser
Y fflam na ddiffydd byth,
Mae'r gŵr o Rydcymerau'n fyw i ni;
Y wên na phyla amser
Y fflam na ddiffydd byth
Mae'r gŵr o Rydcymerau'n fyw i ni.

Fe welodd hwn ryfeddod
A hud ei filltir sgwâr,
Adroddodd inni chwedlau llon ei hil,
Dangosodd inni fawredd
Gwerin yr erwau gwâr
Rhoes gip i ni ar ryddid yn ei sgil.

O rho i ni gyfrinach
Y weledigaeth fawr,
Rho golsyn bach o'r tân a lysg mor lân,
Fel y gallwn ninnau gredu
Fel y credaist ti
A gweled rhyfeddodau'r pethau mân.

Dafydd Iwan

PENRHIW

Mi af am dro i lawr hyd blwyf Llansawel
I chwilio'r lôn sy'n arwain at Ben-rhiw,
Ac eistedd dan y simdde fawr yn dawel
Hyd nes, yng ngolau'r lloer, y daw'r hen griw
O'u beddau'n ôl am noson i reffynnu
Storïau di-ben-draw mewn cywair iach.
Gweld 'Wncwl Jams' a 'Danni'r Crydd' yn tynnu
Ar ddawn garlamus 'Dafydd 'r Efail Fach';
A daw D.J. ei hun yn llawn direidi
Yno i felysu'r cylch heb air yn sbâr,
Gan dynnu coes a thaflu winc fach deidi,
A'r sgwrsio yn nhafodiaith ei Sir Gâr.
A daw i'm hebrwng sbel yn hael ei gloch
Ond imi addo prynu *Y Ddraig Goch*.

J. R. Jones

RHYDCYMERAU

Plannwyd egin coed y trydydd rhyfel
Ar dir Esgeir-ceir a meysydd Tir-bach
Ger Rhydcymerau.

Rwy'n cofio am fy mam-gu yn Esgeir-ceir
Yn eistedd wrth y tân ac yn pletio ei ffedog;
Croen ei hwyneb mor felynsych â llawysgrif Peniarth,
A'r Gymraeg ar ei gwefusau oedrannus yn Gymraeg Pantycelyn.
Darn o Gymru Biwritanaidd y ganrif ddiwethaf ydoedd hi.
Roedd fy nhad-cu, er na welais ef erioed,
Yn 'gymeriad'; creadur bach, byw, dygn, herciog,
Ac yn hoff o'i beint;
Crwydryn o'r ddeunawfed ganrif ydoedd ef.
Codasant naw o blant,
Beirdd, blaenoriaid ac athrawon Ysgol Sul,
Arweinwyr yn eu cylchoedd bychain.

Fy Nwncwl Dafydd oedd yn ffermio Tir-bach,
Bardd gwlad a rhigymwr bro,
Ac yr oedd ei gân i'r ceiliog bach yn enwog yn y cylch:
'Y ceiliog bach yn crafu
    Pen-hyn, pen-draw i'r ardd'.
Ato ef yr awn ar wyliau haf
I fugeilio defaid ac i lunio llinellau cynghanedd,
Englynion a phenillion wyth llinell ar y mesur wyth-saith.
Cododd yntau wyth o blant,
A'r mab hynaf yn weinidog gyda'r Methodistiaid Calfinaidd,
Ac yr oedd yntau yn barddoni.
Roedd yn ein tylwyth ni nythaid o feirdd.

Ac erbyn hyn nid oes yno ond coed,
A'u gwreiddiau haerllug yn sugno'r hen bridd:
Coed lle y bu cymdogaeth,
Fforest lle bu ffermydd,
Bratiaith Saeson y De lle bu barddoni a diwinydda,
Cyfarth cadnoid lle bu cri plant ac ŵyn.

Ac yn y tywyllwch yn ei chanol hi
Y mae ffau'r Minotawros Seisnig;
Ac ar golfenni, fel ar groesau,
Ysgerbydau beirdd, blaenoriaid, gweinidogion ac athrawon
     Ysgol Sul
Yn gwynnu yn yr haul,
Ac yn cael eu golchi gan y glaw a'u sychu gan y gwynt.

Gwenallt

RHYDCYMERAU 1976

Henfro dirion y diwyd hwsmonaeth,
Yno beunydd bu dewr annibyniaeth,
A geiriau annwyl Cymreig weriniaeth,
Gwerthfawr olud eu tud a'u treftadaeth;
Ond i dir fy nhad y daeth – aliwn lu
Yma i dagu yr hen gymdogaeth.

Mae y Comisiwn yn fferm Cwm Isa',
I'w hynt o'i helynt try'r tenant ola'
O'i gwm mewn hiraeth, a'i gam yn ara',
A gwag ysgerbwd yw'r cwmwd yma;
Hirfaith elltydd, diborfa – yw'r coed pîn
Lle bu y werin yn ennill bara.

Lle bu diflin roi min ar grymanau
Y rhesi pinwydd yn lle'r sopynnau;
Ni welir yno daro'r pladuriau
Na nithio grawn o wenith y grynnau;
Hefyd 'does gynaeafau – ar hyd llain
Na gŵr i gywain y gwair o'i gaeau.

Unig yw'r capel yn y tawelwch,
Lle hen addolwyr sy'n llawn eiddilwch;
Yno yn wylaidd un dyn ni welwch
Yn llunio'i weddi yn y llonyddwch;
Yn y lle 'does namyn llwch – mynwent fras
Y meini addas a man eu heddwch.

Ym mro hudol yr hen gymeriadau
Bu rhadlon ddynion, dibrin o ddoniau;
Yno bu gwŷr â gwreiddioldeb geiriau,
A melys ydoedd eu haml seiadau;
Ond daeth dydd y coedydd cau – ar oledd
A diwedd mawredd bro Rhydcymerau.

D. Gwyn Evans

Y CAPEL YN SIR GAERFYRDDIN

Mor syber oedd y Sabothau yn Seion,
Mor naturiol oedd y Capel yn y wlad;
Y Capel a oedd yn fyw gan yr Efengyl
Ac yn gynnes gan emynau Pantycelyn, Dafydd Jones o Gaeo,
Tomos Lewis o Dalyllychau ac emynwyr y sir.
Y tu allan iddo yr oedd cerbydau'r ffermwyr
Ac yn yr ystabl wrtho yr oedd y ceffylau yn pystylad
Ar ganol gweddi a phregeth;
Ac oddi amgylch iddo yr oedd y meysydd ym mis Awst
Wedi eu beichio gan wenith a cheirch a siprys.
Nid oedd ond mur rhwng y Gwaredwr yn y Capel
A Chreawdwr y byd y tu allan iddo.
Mor wahanol oedd y Capel yn y Deheudir diwydiannol,
Lle'r oedd yn cystadlu â'r gwaith dur, y gwaith alcam a'r pwll glo.

Er hyn oll, y Capel a roddai yn ddiwahaniaeth,
Yn y glesni a'r glaw gwledig, ac yn y mwstwr a'r mwrllwch,
Y dŵr ar dalcen, y fodrwy ar fys a'r atgyfodiad uwch yr arch.

Gwenallt

SIR FORGANNWG A SIR GAERFYRDDIN

Tomos Lewis o Dalyllychau,
A swn ei forthwyl yn yr efail fel clychau
Dros y pentref a'r fynachlog ac elyrch y llyn;
Tynnai ei emyn fel pedol o'r tân,
A'i churo ar einion yr Ysbryd Glân
A rhoi ynddi hoelion Calfaria Fryn.

Dôi yntau, Williams o Bantycelyn,
Yn Llansadwrn, at fy mhenelin,
I'm dysgu i byncio yn rhigolau ei gân;
Ond collwn y brefu am Ei wynepryd Ef
Ar ben bocs sebon ar sgwâr y dref
A dryllid Ei hyfrydlais gan belen y crân.

Ni allai'r ddiwydiannol werin
Grwydro drwy'r gweithfeydd fel pererin,
A'i phoced yn wag a'r baich ar ei gwar:
Codem nos Sadwrn dros gyfiawnder ein cri
A chanu nos Sul eich emynau chwi:
Mabon a Chaeo; Keir Hardie a Chrug-y-bar.

Y mae rhychwant y groes yn llawer mwy
Na'u Piwritaniaeth a'u Sosialaeth hwy,
Ac y mae lle i ddwrn Karl Marcs yn Ei Eglwys Ef:
Cydfydd fferm a ffwrnais ar Ei ystad,
Dyneiddiaeth y pwll glo, duwioldeb y wlad:
Tawe a Thywi, Canaan a Chymru, daear a nef.

Gwenallt

Y GANGELL

Roedd wrthi'n brwsio lloriau rwff y tŷ
Pan ddaethom yn betrusgar at y lle:
'Dewch miwn, dewch miwn,' mewn rhyw hyfrydlais cry',
'Cewch weld y cwbwl, dyma'i gartre fe;
Ond peidwch dishgwl gweld rhyw balas mawr,
Dim ond penisha, cegin a lle tân
Dan shime lwfer. Ie, fi sy ma'n awr
Yn treio cadw'r bwthyn bach yn lân.
Teimlo'r lle yn unig? Wel nadw' wir,
Wath credwch fi, ma'r cerrig hyn a'r côd
Yn siarad weithie'n uwch na chlebran clir
Y rhai chwilfrydig sydd yn mynd a dod;
Ac yna, pan ddaw'r nos, a'r lle yn fud,
Rwy'n cofio'i eirie: 'Hedd na ŵyr y byd.'

W. Rhys Nicholas

AR Y FFORDD I DALYLLYCHAU

Ar y ffordd i Dalyllychau
Gwelais Fai'n rhodianna'n fwyn,
Heibio i'r perthi, heibio i'r rhychau,
Heibio i'r eithin ar y twyn;
Wrth y clawdd, â'i llygad gloyw,
Neidiai brongoch glaer ei phlu;
Uwch fy mhen, mewn hirlais croyw,
Fe chwibanai ceiliog du.

Rhôi amaethwr bwys ei freichiau
Ar y glwyd, ym mwlch ei gae,
I freuddwydio i ffwrdd ei feichiau,
A gorffwylledd byd a'i wae;
Gwelai ychen draw'n cydbori,
A briallu wrth ei glun
Yn cydgwrdd, i ymgynghori;
Daw, daw'r bobloedd eto'n un.

Rhywle i mewn, yng nghôl y cread,
Mae rhyw galon fawr ynghudd;
Trwy holl hanfod bod, a'i wead,
Myn y llon ddisodli'r prudd;
Gwelais droi'r cleddyfau'n sychau,
Gwelais ddydd o hedd di-drai
Ar y ffordd i Dalyllychau
Ar ryw fore teg o Fai.

W. Nantlais Williams

ABATY TALYLLYCHAU

Aeth hedd yr hwyr i mewn i'th hanfod di,
    Grair y canrifoedd pell; mae rhwysg dy ddydd
Yn llonydd fel y llychau wrth dy ddôr –
Yn esmwyth dawel fel hir hun dy gôr.

Ni chluda'r awel mwy d'offeren ddwys,
    A mud yw lleisiau clir d'abadau di,
Ciliodd cyfrinach y memrynau lu,
A llawer gem o drysor oes a fu.

Dy hyfryd hwyr sy'n hir a'th nos yn fwyn,
    Graig tangnefeddus y canrifoedd pell,
Murddun a mynach mud, abad a bedd,
Henaint a hun, y distaw hwyr a'i hedd.

H. Meurig Evans

HEN EFAIL THOMAS LEWIS, TALYLLYCHAU

Ni chyrch y plant fel cynt ar derfyn dydd
   I roddi chwyth i'th fegin ger y tân,
Ac ni ddaw ebol mwy i dasgu'n rhydd
    Pan wylltir ef â chawod gwreichion mân:
Tawodd dy glych a'u nodau gyda'r wawr,
   A'th fwg ni throella chwaith i las y nen,
Dy offer weithion yn ddi-hid ar lawr –
   Y rhwd a'r pryf yn bwyta'r dur a'r pren.
Mudwyd dy eingion tua'r greirfa draw
   Er cof am emyn dwys ystalm a gaed,
Pan driniai'r gof ei swch â chelfydd law
   Mewn chwys nes cofio am 'ddefnynnau gwaed'.
Heddiw ti gofi mewn mudandod fardd
A gofiodd dro am ing 'griddfannau'r ardd'.

D. H. Culpitt

ARSENIC AC AUR YN NOLAUCOTHI

Ar hynt antur ac aur
plygu gwar gwylaidd
tua'r ddaear,
trwsglo'n traed ar lawr,
estyn bysedd ymbalf-frwd
cyn gwaedd eger tywysydd,

'Gochelwch yr arsenic
ddifera o'r to.'

Eiddig am aur o'wn
ond gwenwyn oedd y gweddill
a gyffiwyd i gelloedd
a'u mygydu yn y fagddu.

Aur? Nid yw ond delwedd:
tresi prin ein dyhead
a dasgwyd ar eingion craig.

A'r unig aur a erys
yw torri garw
mwyn y galon
yn glapiau coeth,

eurwe taer
yn fodrwy adduned.

Menna Elfyn

73

HEN FUGAIL BLAEN Y COTHI

Hen fugail Blaen y Cothi
  Yn nyddiau Cymru sydd,
Mae Deio Ajax yn ei fro,
  Fel darn o 'Slawer Dydd'.
Cymraeg yw ei leferydd,
  Cymraeg ei wisg bob darn,
A thystia pawb a'i gwêl o draw –
  Hen Gymro hyd y carn.

Hen fugail Blaen y Cothi
  Mor hoff o ddefaid yw,
Fe'u geilw wrth eu henwau oll
  A'r defaid oll a'i clyw;
Ond os bydd defaid ungorn
  Am grwydro draw yn ffôl,
Mae Quick a Theify wrth ei law
  A'u dwg i'r lloc yn ôl.

Hen fugail Blaen y Cothi
  A'i boni'n mynd a dod,
Ac nid oes harddach iddo ef
  Na'i 'boni gwyn' yn bod:
Mae'n falchach fil ohono
  Na phe bai'n berchen stâd,
A chlod y poni erbyn hyn
  A gerddodd drwy y wlad.

Hen fugail Blaen y Cothi
  Y gŵr digrifa'n fyw,
Un digrif o ran gwisg a gwedd
  A ffraeth o leferydd yw:
Hir oes i 'Deio Ajax',
  Medd gobaith Cymru Fydd
I ddilyn defaid mân y fro
  Fel darn o 'Slawer Dydd'.

W. Nantlais Williams

Y GYMRAEG

(Wrth gerdded uwch Llyn y Fan Fach)

Yn nhir y gwynt yn Sir Gâr,
y tir hud lle try'r adar,
dôi ymysg y blodau mân
un gân, a'r bore'n gynnar
yn nhir y gwynt yn Sir Gâr.

Eiddil, fel Afon Sawdde'n
dod o'r llyn, hyd erwau'r lle
y dôi'r un o'r merddwr draw,
un â'r alaw o rywle'n
eiddil fel Sawdde.

Hon, y ferch yn Llyn y Fan,
hon a geisiaist yn gusan,
hon yw'r un harddaf erioed
nes i oed droi yn sidan
i ferch o Lyn y Fan.

Ac yn dawel dychwelai,
eto i'r un tir yr âi,
i ddŵr coll holl ddoeau'r co'
fel haul heno, diflannai,
heno, diflannai.

Mae'n uffern a nef hefyd
yn Llyn y Fan a'r lle'n fud,
a daw'r ofn na chlywir draw
hen alaw yn anwylyd.
Nef yn uffern hefyd.

Ond o eiriau'r hen stori,
ac wrth alw'i henw hi,
o'r un llyn daw'r gair yn lliw,
a heddiw fe'i canfyddi,
yn eiriau hen stori.

Gan i ti ei henwi'n wâr,
daw yn gnawd dan gân adar,
a bydd parhau'r geiriau gynt
yn nhir y gwynt yn Sir Gâr,
yn nhir y gwynt yn Sir Gâr.

Tudur Dylan Jones

GWEDDILLION

(Darganfyddiad ymhlith adfeilion 'Y Fannog' yn Llyn Brianne
yn sychdwr haf 1984)

Gweld esgid ar lawr ysgubor,
A chwlwm y lasen ledr
Yn berffaith yn ei le,
Effaith y dyfroedd
Wedi ei welwi'n wyn gan amser;
Darn o fywyd, megis geriach
A daflwyd i fedydd y gorffennol
Cyn i'r dŵr lifeirio
Dros y creigiau a'r coed
A boddi'r cwm.

Daeth angen a sychder
Yr oes ddifater
I osod ei hesgid goncrid
Yn solet dros yr afon a'r tir.

Troedio'n ofalus rhwng y cerrig
A muriau diysgog y ffermdy unig;
Syndod ei gadernid safadwy
Yn denu'r ymwelwyr
Yn eu ceir a'u carafannau swanc,
I rodio'n hamddenol
Dros y ffordd i'r berllan
A llwybr lleidiog yr ardd.

Clywir clic eu camerâu,
Fel mil o geiliogod rhedyn
Yn trydar o'r cae gwair
Ar brynhawn o haf.

Erys y lluniau a dynnwyd
Dan blastig eu cadwraeth.
Ond daw'r cawodydd eto
I orchuddio noethni'r gegin
A ffenestri agennog y llofft
Dan glawr ei albwm o ddŵr.

Bydd yr esgid yn dal i lechu
Yng nghornel y 'sgubor fach.
Mae'r lasen yn ddiogel,
A'i chlwm yn dynn
Yng nghadernid y graig
A llysnafedd y grug.

Dafydd Hopcyn

HEDFAN ISEL

Mi glywais i ryw stori
A ddywed fod pob corgi
Yn codi'i goes yn Rhandir-mwyn
Er mwyn i'r plêns fynd dani.

Dic Jones

MEDI YN LLANYMDDYFRI

Mae'n Fedi eto. Heddiw daeth cychwyn eto.
Dan sgyfflo'u traed trwy'r dail maen nhw'n cerdded eto,
yn sgwario, yn swagro'u ffordd dros y tir dail.

Mae'r rhain, yn eu blerwch a'u gwallt llwyn drain,
dwylo ar goll mewn pocedi tyllog,
yn grwn fel na fyddant eto yn y wisg hon,
yn agored fel na feiddiant fod ym myd oedolion.

Yn giang, yn grŵp, yn gwmni diogelwch,
maen nhw'n cerdded, dan sgyfflo'u traed trwy'r dail,
i fyd a all fod yn llawen, dan heulwen a all fod yn aur,
heibio i'n gofal a'n golud ni.

Gwrandewch, os medrwch chi o hyd eu clywed y tu ôl i'ch muriau:
mae'r traed yn trampio hen lwybrau; fe gerddodd eu tadau
ym Medi fel hyn, ac maen nhw i gyd
wedi mynd, i gyd yn set yn eu siwtiau;
a chysgod hir yn ymestyn o haul hwyr eu blynyddoedd
dros eu horiau bellach. Mae'n Fedi yn y tir dail.

R. Gerallt Jones

PANTYCELYN

Bererin pererinion llwyd eu gwedd
   Sy â'th wyneb pryd ynghrog ar fur fy nghell,
Cenaist ar ddyrys daith tu yma i'r bedd
   Ganiadau crythor clir y Jiwbil bell.
Dy drachwant sanctaidd, uwch tabyrddau'r glêr,
   Seiniodd yr Enw nad adnabu dyn;
Fel lloer ddigartref rhwng lluosowgrwydd sêr
   Clafychaist am d'Anwylyd hardd dy hun.
Rhwng muriau'r demel neithiwr gwrando wnes
   Dy nwyd yng nghryndod dwfn yr organ reiol;
Dy odidowgrwydd ar y pibau pres,
   A'th bruddglwyf ar y delyn fwyn a'r feiol,
Nes dyfod esmwyth su'r deheuwynt ir
Oddi ar ganghennau pomgranadau'r Tir.

                 R. Williams Parry

TŶFFERM PANTYCELYN

Erys yn hardd, oherwydd – ei uno
  Â'r bryniau tragywydd
Ac un fyth â'r gân a fydd,
Un yw'r man a'r emynydd.

Idris Reynolds

RWY'N EDRYCH DROS Y BRYNIAU PELL

Rwy'n edrych dros y bryniau pell
   amdanat bob yr awr;
tyrd, fy Anwylyd, mae'n hwyrhau
   a'm haul bron mynd i lawr.

Tyn fy serchiadau'n gryno iawn
   oddi wrth wrthrychau gau
at yr un gwrthrych ag sydd fyth
   yn ffyddlon yn parhau.

'Does gyflwr dan yr awyr las
   rwyf ynddo'n chwennych byw,
ond fy hyfrydwch fyth gaiff fod
   o fewn cynteddau 'Nuw.

William Williams

DYFFRYN TYWI

Fe'th welais ddoe yn drwm dy gyntun hir
Pan oedd hualau gaeaf yn y tir.
Yna daeth gwanwyn ac ar gyflym dro
Taenwyd glesni dy wisg ar hyd y fro
Fel llinyn disglair o fynyddoedd llwm
Soar y saint, dros ysgwydd Cil-y-cwm,
A'i weu'n ddolennau diog heibio i'm dôr
Hyd diroedd bras Llansteffan ger y môr.

Heddiw mae'n haf, a thonnau'r ŷd a'r gwair
Yn frwysg ar fron dy faes yng Ngelli-aur;
Araf yn awr yw treigl dy rimyn dŵr
ger Castell Dryslwyn heibio i Fanc y Twr.
Mae'r wennol frwd yno'n ymwanu'n hir
Fel seren wibiog uwch llechweddau'r tir,
A'r gwyrthiau'n drwm dros ddôl a pherth a phren
Ar heulog wastadeddau Felin-wen.

Ar ddiwedd haf diflanna'r hud a'r swyn
A'r dyddiau'n oedi'n hir yn Rhandir-mwyn:
Daw hydref heibio i ddwyn yr aur a'r gwin
O lethrau Twm Siôn Cati ac Ystrad-ffin,
A chasgl o fro Llandeilo'r llwythi lliw
Fu unwaith ar ei gelltydd hithau'n byw.
Cwsg ddyffryn, cyn y geilw'r gaea'n gras
Ym mhibau'r gwynt am ddawns y curlaw bras!

J. Eirian Davies

HYNT TYWI

(Trwy ganiatâd Cymdeithas Cerdd Dant Cymru)

Cân ac oed rhwng ei choedydd – a'i bwrlwm
    Yn berl ar y mynydd;
  A phlyg y grug uwch ei grudd,
  Y fwynaf o'r afonydd.

Afonydd â'u llif ewynnog – a red
    I'w dwfn ru aberog;
  A niwl glyn yn hwyrol glog
  Brianne, ei bro enwog.

Enwog wlad Twm Siôn Cati – a'i rhamant
    A rwymwyd amdani;
  Erwau braf hyd lwybrau bri
  Dewin a hudodd Dywi.

Hynt Tywi yn gloywi glyn – a noddodd
    Brydyddion yr emyn;
  Bedd uchel Pantycelyn
  Yn sancteiddio bro o'i Bryn.

Hyd fro wen yr ymddolenna – a'i hedd
    Yn addurn golygfa!
  Eiddew yn awr orchuddia
  Hen fannau blwng a fu'n bla.

Ei chestyll teryll heb eu tân – ond hoyw
    Yw tywod Llansteffan:
  Â i'r môr, heibio i'r marian
  A chur ei donnau'n ei chân.

Jac Evans

DINEFWR

(Mehefin 1967)

Heddiw fe gefais, am hanner coron,
Rodio cynefin hen bendefigion.

Mynd draw dros y dreif yn fy nghar fy hunan,
A mynegbyst croesawgar o'm blaen ymhobman.

Crwydro'n ddilestair drwy lawntiau a gerddi
A'r llwybrau i gyd yn agored imi.

Gwylio'r danasoedd yn llawn rhyfeddod,
A'r gwartheg gwynion ym mharc yr hyddod.

Ar furiau'r hen gastell rhyfeddu mewn braw
At degwch y dyffryn godidog islaw.

A synnu gadarned y mur dan fy nhroed
Yn ymyl y dibyn uwch brigau'r coed.

Cofio mai yma un adeg y bu
Twysogion Deheubarth yn gewri cry'.

A thristáu wrth feddwl fod pendefigion
Heddiw'n begera am hanner coron.

W. Leslie Richards

DINEFWR

Yma'n Ninefwr mae ein hynafiaeth,
Hengaer Rhys Frenin a'n gwâr sofraniaeth
Yn dew o iorwg ein hanystyriaeth
A rhawn mieri ein hanymyrraeth,
Magwyrydd magu hiraeth, a'r hyder
Yfory a'n hadfer i'w heneidfaeth.

Glŷn yn y galon ei hen gywilydd
A'i hwyl a'i galar 'run fel â'i gilydd,
Y mae i drueni falm ei drennydd
A fynn ailennyn yr hen lawenydd,
Hen wae a hyder newydd – yn undod
Y rhod anorfod yn gylch na dderfydd.

A bydd c'weirio tant gogoniant gynnau,
Bydd eto'r nodded, bydd toi'r neuaddau,
Bydd caer dyhead, bydd cau'r adwyau,
Bydd cynnau'r tân a bydd canu'r tonau,
Yn ei bryd bydd ail barhau – moesau'r llys,
Syberwyd Rhys biau rhod yr oesau.

Dic Jones

LLYS RHYS GRYG YN Y DRYSLWYN

(I Rodri Williams)

Rhywle rhwng clawdd a therfyn,
rhywle rhwng bore a phnawn,
rhyw filltir neu ddwy o'r briffordd
a Thywi a'r llwyni yn llawn;

rhywle rhwng cwsg ac effro,
a'r haul yn ystumio'r dydd,
fe ddaeth rhyw greadur ataf
a'i wallt yn gydynnau rhydd;

rhywle rhwng gadael a chyrraedd,
rhywle rhwng y gorllewin a'r gwynt
fe ddaeth Rhys Gryg i 'nghyfarfod
a 'nghalon yn curo yn gynt:

fe aeth â mi at y Dryslwyn
lle mae tro yn yr afon ddofn
a dangos i mi olwg o'r dyffryn,
a minnau'n cydsynio, rhag ofn;

heibio i gastell Dinefwr
hyd at Garreg Cennen a'r Trap,
'dyma oedd gennym', meddai,
'dyma ein dinas a'n map':

'ond llithrodd y cyfan o'n gafael,
oherwydd inni adael lle
i fyddin ddifeddwl gael troedle
rhywle rhwng daear a ne':

'a minnau mor euog â'r nesa'n
troi cynnig yn gynllwyn cas,
a chywydd mawl yn farwnad,
a llain werdd yn faner las:'

'a ninnau a gwyrth yn ein gofal,
fel merch fach yn torri gair
am y tro cynta', fel modrwy
yn gorwedd ar goll yn y gwair:'

a chyn iddo droi ymaith a 'ngadael
taflodd garreg yn ôl ataf i,
'cer i chwilio'r bwlch yn y muriau
lle'r aeth honna yn llywaeth i'r lli.'

Iwan Llwyd

ER COF AM NOEL JOHN

Mae y gŵr yma â'i gân
A'i oludog wên lydan?
Rhoddi yn llon o'i ddoniau
A wnâi hwn, meithrin a hau
Nodau'r gerdd hyd erwau gwâr
Yn deg emau digymar.

Lleisiau plant ym mhob cartref –
Annwyl waith i'w afiaith ef,
A llon delyn Llandeilo
Â'i bri ymhell dros ffin bro.
Gofid sy' 'Nghymru gyfan:
Mae y gŵr bu yma â'i gân?

Eleri Davies

YR ARBORETUM YN Y GELLI AUR

Peunod anferth o goed
yn sefyllian ar lawntiau

yn siffrwd cynffonnau hir
a llyfn
o gangau pin
ac ysgwyd eu torchau
hyfrydlas, gosgeiddig yn adenydd
o ddail ffawydd.

Amryliw frigau'n sibrwd
a chrafangau melynfrown y bonion ansymudol
yn aros ar y borfa
rhwng y cynteddau tywyll

a'r ffaniau enfawr a thewfrig
yn crynu'n ysgafn agored
yn y goedlan dawel.

Y gwynt yn clecian
drwy gwils o ddail

yn arddangos ysblander eu cribau pigfain
du-las,
eu llygaid yn gysgodion gloyw-ddu
a llyfnder eu godidowgrwydd disgleirwyrdd
i neb
yn arbennig.

Einir Jones

GOLDEN GROVE

Pa gyfyd hiraeth am fywyd y wlad
Mi af i Landeilo, i'r *Golden Grove*,
A cherddaf yn warsyth hyd barc y Stad,
Lle'r egyr prydferthwch y peunod dof:
A chlywaf rhwng praffter y derw a'r ynn
Guriadau hynafol y cloc yn y Twr,
A gwylio'r elyrch balchben ar lyn,
Gweddeidd-dra eu hystum yn rhannu'r dŵr:
Cwningod clustlipa, rhwng pori bach,
Yn sbïo'n gellweirus ar lawntiau clir,
Y ffesant yn rhwygo'r awelon iach,
A'r ceirw yn hedfan tros laswellt y tir;
A gwelaf, wedi dychwelyd i'm bro,
Draddodiad y pridd tan y tipiau glo.

Gwenallt

DAU GRWT YN Y GELLI AUR

Mae'r profiad ambell waith yn fwy
na lled y tafod sy'n llefaru'r gair,
mae'r llun yn fwy na'r lliw,
y môr yn ddyfnach nag yw'r llinyn byr,
mae'r alaw'n felysach na'r llais.
Ond er bod y gwaelod o'r golwg,
mae cryndod ar wyneb y dŵr.

Dau grwt oedd ewyn y glesni –
dau grwt yn y Gelli Aur,
ar dyle hir y bore'n araf eu cerdded
wrth glebran
a loetran yn y gwair;
dau frawd, mi dybiwn innau,
un yn dal a'r llall yn fyr,
a'r naill yn llaw y llall;
dau grwt yn y Gelli Aur –
y crychu ar dalcen y dŵr.

Mae'r darlun bellach yn denau
ar femrwn cras y dail,
a'r bechgyn yn niwloedd annelwig
yn y cof am y Gelli Aur –
un yn fach a'r llall yn fwy,
a'r naill yng ngofal y llall.

Cydiad eu dwylo a'm daliodd –
y llun sy'n fwy na'r lliw;
dau gnawd yn ymgynhesu
yng ngofal y naill am y llall.
Cydiad naturiol y dwylo –
yr alaw sy'n felysach na'r llais.

★   ★   ★

Ar garreg ddu'n y fynwent
wrth gapel yr Alltwen,
naddwyd uwchben yr enwau aur
ddwy law ynghlwm,

dwy law gaeth mewn gwenithfaen,
dwy law annatod
ar garreg sy'n oer yn yr haul.
A phan ddaw Sul y Blodau
â'r gryman at y gwair
a'r sebon cryf i sgrwbio
adnodau gwyrdd y Gair,
mae'r cydiad dwylo yn y maen
yn gryndod eto ar wyneb y dŵr,
ac yn yr anesmwythyd blin
mae'r llun sy'n fwy na'r lliw.

      ★   ★   ★

Ni wn pa beth sy'n clymu'r
Alltwen a'r Gelli Aur,
y ddeuddyn yn y ddaear,
a'r bechgyn yn y gwair,
onid y plethu dwylo
a chwlwm y bysedd glân.

      ★   ★   ★

Y gwaelod dwfn o'r golwg
yw'r llaw sy'n ymbil am law,
y dwylo sy'n chwilio dwylo
ar lwybrau llwch y byd –
      lle mae'r llafnau'n hollti
      llinynnau'r cyrff,
      ac ysgar trist y bysedd yn boen;
      lle mae'r naill yn chwilio am ofal
      y llall;
      y llwybrau araf lle mae'r hen yn oeri,
      a llusgo'r blynyddoedd crin
      yn rhigol y croen,
      a'u hiraeth yn artaith
      am wres y fynwes fwyn;
      y llwybrau lle mae'r plant
      yn gloddesta yn anial y briwsion,
      a chwyddo'n denau
      ar esgyrn brau y dwylo gwag ymbilgar;

y llwybrau lle mae Cain o hyd
yn ysgerbydu brawd,
a diffodd y llygaid
yn y llaid,
a'r llaw yn chwilio'r llaw
sy'n gryf ac nad yw'n grafanc.

★   ★   ★

Mae'r dwylo ynghlwm ar garreg
wrth gapel yr Alltwen,
a phan ddaw Sul y Blodau
â'i gryman at y gwair,
mae'r cydiad dwylo yn y maen
yn gryndod eto ar wyneb y dŵr.

Ac felly yn y Gelli Aur
wrth gofio'r bechgyn yn y gwair;
un yn dal a'r llall yn fyr,
a'r naill yn llaw y llall.

★   ★   ★

Mae'r profiad ambell waith yn fwy
na lled y tafod sy'n llefaru'r gair,
mae'r llun yn fwy na'r lliw,
y môr yn ddyfnach nag yw'r llinyn byr
a'r alaw'n felysach na'r llais.

Dafydd Rowlands

TŶ GWYDR LLANARTHNE

Ar lannau Afon Tywi mae bwa enfys unlliw
sy'n taenu ei ryfeddod mewn heulwen ac mewn dilyw.

Nid ar yr enfys arian mae lliwiau'r byd yn firi
ond maent o'r byd yn gyfan yn tyfu oddi tani,

yn derbyn rhodd o heulwen sy'n llifo trwy'r holl wydrau,
y rhain sy'n tanio'r pŵer sy'n gyrru trwy eu gwreiddiau.

Ar lannau Afon Tywi mae yna gylch y creu,
mae yna gân mwyalchen, mae yna hen ddyheu.

Mae yna ddôm o wydyr clir
yn rholio'r tes o'r haul i'r tir.

Ar lannau Tywi
mae hau a medi.

Ar lannau Afon Tywi mae'r enfys hon am aros
i daflu ei goleuni o doriad gwawr hyd gyfnos.

Tudur Dylan Jones

ABERGLASNE

Beth yw natur heb furiau,
a'r gwyllt heb forder i'w gau?
Pa ryw ryddid oedd priddio
meini a gerddi dros go';
rhoi baw anghofio ar ben
y gwaith fu yn Llangathen?

Lle canai Lewys, distaw
ydy' Aberglasne'r glaw,
a'r naw gardd, yn sarn i gyd,
aneglur a mwsoglyd;
dan ddinad yn ddienw
a neb yn eu cerdded nhw.

Cof byr yw ein natur ni.
Mae amynedd mewn meini
i aros dan eu iorwg,
dan glo, am ddwylo a ddwg
raw a chaib i glirio chwyn:
dwylo â greddf i'w dilyn –
rhoi enw'n ôl i dir neb,
rhoi enw a gwarineb.

Yn rhydd nawr y cerddwn ni
drwy Aberglasne'r glesni;
a rhwng meini gerddi gwâr
ymryddhau'r ŷm o'r ddaear.

Emyr Lewis

Y SGIDIE BACH

Dwedwch stori'r sgidie bach . . .

Sgidie Llandeilo, am mai yno mae'n debyg
y'u lluniwyd
slawer dydd yn ôl.
Dwy esgid fach ddu yn magu llwch i'ch mam.

Sgidie Wncwl John, brawd Mam . . .

Mae Mam yn hen,
a'r sgidie'n fach fach . . .

Roedd John yn marw'n faban bach,
yn marw'n ddwyflwydd oed.

Mae'n od bod dyn sy'n ddeugain oed
yn galw plentyn dwyflwydd oed
yn Wncwl John . . .

Brawd Mam oedd Wncwl John,
yn marw'n ddwyflwydd oed.

Gwisgai John sgidie Llandeilo
wrth weithio'n yr ardd gyda'i dad mawr;
ac roedd 'nhadcu yn fawr –
gweithiai'n y gwaith stîl,
a chwarae yn y pac.

Gweithiai John gyda'i dad yn yr ardd.

Bu farw John yn sydyn,
a gadael ôl ei draed
ym mhridd yr ardd.

Dwyflwydd oed oedd Wncwl John yn marw yn y pridd.

'Rôl claddu Wncwl John,
fe âi 'nhadcu i weithio yn yr ardd;

roedd yno ddarn bach sgwâr o bridd
na allai balu.
Ac roedd 'nhadcu yn fawr –
gweithiai'n y gwaith stîl,
a chwarae yn y pac.
Ond roedd 'no ddarn bach sgwâr o bridd
na allai balu.

Bu farw John yn ddwyflwydd oed
a gadael ôl ei draed
ym mhridd yr ardd.

A dyma'r sgidie du fu'n gwasgu'r pridd –
sgidie Llandeilo,
am mai yno, mae'n debyg, y'u lluniwyd
slawer dydd yn ôl.

Dafydd Rowlands

NAW MILLTIR

O Nantgaredig i Landeilo
Uwchlaw'r ddaear.

Naw milltir.

Lawr isod
Ymhell
Lawr danom
Ymhell, bell
Obry
Yr Alpau,
Yn galed gan haul
Yn wyn gan eira;
Lawr
Lawr
Ymhell,
Yr Alpau fel talpau toes.

Beth petawn yn syrthio
Yr holl ffordd o'r plên i'r ddaear –
Fel petawn yn syrthio'r holl ffordd
O Nantgaredig i Landeilo!

Ai pleserus y plymio?

Heibio i Abercothi,
Llanegwad
A'r Dryslwyn,
Y Gelli Aur,
Llangathen
A Dinefwr

Cyn disgyn trwy do marchnad Llandeilo,
Glwriwns i ganol stondinau wyau a ieir,
Y sachau tato, y rhofiau a'r bwcedi a'r trangwls cartrefol,
Pethau mebyd.

Hen bethau cynefin
Yr hiraethaf ar dywyll nosweithiau
Am fynd yn ôl atynt.

Bron iawn na neidiwn allan y funud hon,
Oni bai fy ngwybod y byddai ceisio dychwelyd i'w plith
Yn angau di-ddihengyd
I bresennol y neb sy â'i ben yn y cymylau
Naw milltir
Uwchben y byd.

J. Eirian Davies

Y GARREG FILLTIR

Ffordd yr elych i Landeilo
   Tros y mynydd o Gwm Lôn,
Trwch o fwswg ar ei thalcen
   A gwellt y mynydd yn ei bôn,
Yno saif hen garreg filltir,
   Llafn un-wyneb garw'i bryd,
'Deuddeg milltir i Landeilo'
   Yw ei stori, dyna i gyd.

Yno roedd pan euthum gynta'n
   Llencyn ysgol ar fy nhaith,
Neb i ddweud fy hiraeth wrtho
   A melysu'r filltir faith,
Boed dy ofid faint a fynno,
   Boed dy ddagrau rif y gro,
'Deuddeg milltir i Landeilo'
   Ebe'r garreg, 'Boed a fo'.

Ddyfnder gaeaf pan na fentro
   Undyn tros y mynydd mawr,
A lluwchfeydd o eira'n gorwedd
   Ar ei hwyneb hithau'n awr,
Gad i'r heulwen unwaith eto
   Olchi grudd y garreg hen,
'Deuddeg milltir i Landeilo'
   Ebe hithau ar ei gwên.

Yma'i rhoddwyd gynt gan rywun
   Nad yw mwy ar dir y byw,
Yma safodd drwy'r blynyddoedd –
   Carreg fedd yr oesoedd yw,
A phan bylo'r bras lythrennau,
   Hithau'n malu, ddarn ar ddarn,
Deuddeg milltir fydd o'r fangre
   I Landeilo hyd y Farn.

W. Nantlais Williams

FFAIR LLANDEILO

Yn dalog i Landeilo
Un hwyr haf es ar fy nhro;
(Daw carn i Ffair Gŵyl Barna
O ddynion ar hinon ha').
Yno bydd swancs y bancs, sbo,
A'r ffermwyr yn perfformio.
Gwŷr y cwils â'u gwarrau cam
A ddenir yno'n ddi-nam;
Gweision nefol dduwiolair,
A gweision fferm geisian' ffair!
O lain delaid Landeilo
Pell yw gwlad y pyllau glo,
Ond acen chwith 'Y Gwithe'
Glywir drwy holl giliau'r dre
Pan fo'r dafarn, Ŵyl Barna,
Yno'n llawn o bob dawn da.

Minnau a euthum yno,
Sgwlyn bras ysgol ein bro;
Mynnwn o'r lle (main yw'r llog),
Gyfle i chwyddo'r gyflog.
Ond, myn diain – nid mwyn y daith –
E gamodd y llog ymaith!
Collais y cwbl o'm cyllid,
A'm henillion prinion prid.

Gweriais gymaint a gariwn
Ar deithio hwyr y dydd hwn.
Ni chawn am un chwecheiniog
Un ddimai, neu lai o log,
A gyrrais yn wyllt gerrynt
Sylltau ugeiniau i'r gwynt.
Coco-nyts – (a'u cicio nhw!)
Ni fwriwn tawn i farw,
A'n syth ni allwn saethu
Mwy na dall, y mannau du.
E geisiais wedyn gysur
Yn sistems y dodjems dur;

Ar goll aeth f'het yn hollawl
Ar y bympers – (jympers jawl!);
O'r lob! A daeth rhyw labwst,
Slap-bang, a'i damsang mewn dwst!
Yn dwp yn ymyl Hwp-La
Gwelais fy ngheiniog ola'
Fel ffrind draw yn mynd drwy'r mwg
I gilio fyth o'm golwg.

Yn ffŵl yr euthum i'r ffair –
Ei ddeuthum 'n ôl ddoethair;
Athrist y trois o'i thrwst draw
I'm haelwyd lom i wylaw.

Collais beil yn Llandeilo,
Dyma fan – o damio fo!

W. Leslie Richards

RHIGYMAU

Hen wraig fach a basged o wye
O Landeilo i Landybïe:
Ar y bont ar bwys Llandybïe
Fe gwympodd y fasged
A lawr aeth y wye.

★   ★   ★

Llifio, llifio coed Llandeilo,
I wneud coffrau bach ceiniogau;
Coffr i ti a choffr i minnau,
Coffr i mi a choffr i tithau.

Llifio, llifio coed Llandeilo,
Hollti pren bedw
Yng ngallt yr hen weddw;
Peth at lwyau,
Peth at ffiolau,
Peth at focsys bach dimeiau,
Dimeiau, dimeiau, dimeiau,
Dimeiau, dimeiau, dimeiau.

★   ★   ★

'Ble mae Mam-gu?'
'Ar ben y Mynydd Du.'
'Pwy sy' gyda hi?'
'Oen gwyn a maharen du;
Fe aeth i lan dros yr heol gan,
Fe ddaw i lawr dros yr heol fawr.'

Anhysbys

AFONYDD LLANDYBÏE

Afonydd Llandybïe
Sydd un o'r rhyfeddode –
Marles, Llwchwr fach,
Nant y Wrach a Gwine,
Nant y Ci a Fferrws,
Lash a Ffynnon Gwenlws,
A Gwyddfân yn rhannu'n ddwy,
A thyna'n plwy ni'n arllws.
Ond mae ffynhonne'n tarddu –
Oes, mwy nas gallaf gyfri,
O Landyfân i'r Felin Fach,
Ac amryw fân gwteri.

Anhysbys

CYWYDD SIR GÂR

O dalaith Gwlad y Delyn,
Shir Gâr am ddaear neu ddyn!
Paradwys bardd, ei ardd wen,
Nef oludog fel Eden.

O ymroddi am ruddaur
Pa le mae gwell plwm ac aur?
Deunydd i'th galch odynau
Sydd yn stôr y coffor cau.
Murmur gwaith dur gorau'r De,
Nid tristdrwst yw tôn Trostre.
Da y cofia'r byd cyfan
Mai diguro'r gloywlo glân;
Y byd, taled deyrnged deg
I lu cewri'r glo carreg.

O'r Grongar dy ddaear dda
Yn rhamant a geir yma.
Uwch perth fel tyrfa nerthol
Saif hen gewri deri dôl,
A harddlu'r dyffryn gwyrddlas
Yw can eidion brithion bras,
A'th nerth yw blithion wartheg
Fel llun ar bob tyddyn teg.
Nadredda d'afon drwyddynt
Gan loetran, i'w heirian hynt.

Os henddull gestyll a'u gwg
Hen ymladd a wna'n amlwg,
Talwydd glog a'n hannog ni
I gallach lwyr ymgolli:
A! na rhoddion o ruddaur
Gwell yw hud y Gelli Aur:
Rhyw ddewinol arddunedd
Unigryw yw'r loywfyw wledd.

107

Ceisiais hedd a'i goleddu
Rhwng ceiliau dy fryniau fry,
Ond sibrydion afon iach
A feithrin well cyfathrach.
Man tawel, ym min Tywi,
Yno y mae'r ne' i mi.
Awr yno gyda'r enwair
Diengyd o'r byd a bair.

W. T. Gruffydd

POS ENWAU LLEOEDD

Pa beth sydd yn y *Tumble*
Ei thrwyn a'i chwt yn gam?
Nid ydyw gyda Dada
Ond y mae gyda Mam;
Ni cheir hi yng Nghydweli
Lle mae y beirdd yn bod;
Fe'i ceir ym Mhontyberem
Mor amlwg ag erioed.

Mae'r gwrthrych sy'n y *Tumble*
Yn sefyll ar ddwy goes:
Cwm-mawr sydd gryf ohono,
Gorslas yn wir nid oes;
Nid ydyw yn Llanelli –
Na chwiliwch onide;
Ceir hi ym Maescanner
A'r Mwmbwls – a Phembre!

Chwi fechgyn dewr y Bynea,
Dafen, Pwll a Phen-bre,
Cydweli, Mynyddygarreg,
A chwithau, *boys* y dre'.
Rhowch ateb i mi'n brydlon
Na fyddwch chwi ar ôl,
Cewch gennyf *orange biscuits*
A phop o Felinfo'l.

Myrddinfab

★Yr ateb yw 'm'!

Y SHIFFT OLAF

(yn nhafodiaith Cwm Gwendraeth)

Newn ni ddim llawer 'ma heddi',
Dim ond cymoni y lle;
Rhoi cogyn yn y llaw ucha
A geren yn y llaw dde.

Rhaid ca'l y lle 'ma yn didi
Erbyn daw Shoni o'r sgip;
I'r ddram a'r rhaw a'r hen fandrel
Gad iddy'nhw fyn' sha'r tip.

Aeth hanner can mlynedd hibo
'Ddar citshes i yn y ffâs,
Ces ddisen o fân ddamweine
Mae 'nghorff i yn grithe glas.

Ond diolch am weld y shifft ola'
Mae'r baich yn drwm ar fy ngwar,
Fe gasglwn y tŵls yn gynnar
A'u cloi nhw i gyd ar y bar.

D. H. Culpitt

YR ANGLADD

Does neb yn naddu pyst yng ngwaith y 'Cross',
Neb yn peswch
Neb yn rhegi chwaith;
Maent wedi cau y pwll.

Ni alwyd neb i droi'r corff heibio'n barchus,
Mae'n gorwedd dros y fro yn hyll,
A'i fola du digywilydd yng ngolwg pawb.
Y geg fu'n llyncu dynion i fodloni gwanc,
A chwydu'i ddiffyg traul mewn gwagenni glo,
Sy'n torri gwynt y meirw
Nes ffieiddio'r corsydd o'i hymysgaroedd pwdwr.

Cleddwch ei bydredd.
Mae ei fedd yn barod.
Rhoddwch i orwedd yn y 'main' a'r 'headings'.
Llenwch y ffas a'r talcen â'i gorff gwastraffus.
Baw i'r baw a slwj i'r slwj.
A chaned y côr silicotaidd yn eu dillad parch:

    'O fryniau Llanlluan ceir gweled
    Holl dipiau'r anialwch i gyd,
    Yn gorwedd ar wastad eu cefnau
    Nôl sarnu'r ardaloedd cyhyd.
    Cawn edrych ar feysydd a dolydd,
    A'r nentydd a'u dyfroedd di-faw.
    Daw'r adar yn ôl i'r canghennau,
    A'r plant rodia eto'n ddi-fraw'.

A daw'r cwmwl tystion yn greithiau glas
I gyhoeddi'r fendith a gofyn gras.

Gareth Davies

YMSON GLÖWR METHEDIG

(Tafodiaith Cwm Gwendraeth)

'Dere am wâc dros y Lote
    I ni gal llond pen o aer,
Rwy'n lico mynd lan i'r ceie
    I olwg shime Llwyn-gwair;
Mi ewn ni gambwyll bach i ddechre
    Dros ripyn gât Gors-y-dre,
Ma'r llwybyr, ti'n gweld, mor arw –
    Pam na gymonan nhw'r lle?

'Bachan, 'na ddamwen ddigwyddws
    Pwy ddwrnod yn ffas Cil-ffri;
Ro'dd yn fan itha dansheris,
    Do'dd e ddim yn ffit i gi:
Y lluwch, 'do's dim dowt, a'i mogws:
    'Sdim ishe ti byslo dim,
Y blower, ti'n gweld, a 'wthws;
    Ma'r stori yn llawn 'da Jim.

'Ro'dd e wedi sefyll geren
    A chogyn lan yn y ffas,
Ro'dd sôn fod ambell hen boced
    Fel hyn erio'd yn y gras;
A bachan! pan â'th e â'r mandrel
    I dynnu tamed o lo
Dyma'r ffas i gyd yn 'moelyd,
    Y *gas* tu cefn 'ddo sbo.

'Ond trows Wil 'nôl ar 'i wmed,
    A pry'ny llyncws e'r lluwch;
A 'nôl beth glywes o'r 'anes
    'Ddai'n well pete'i ben e'n uwch:
Fel yna mae ar y coliar,
    'Sdim dal pa bryd daw 'i dro,
A dynion yn rhoi'u bywyde
    Yw'r prish a delir am lo.

'Sa', i ni gal 'mach o anal,
  Ma'r fegin 'ma'n awr yn deit,
Ma' 'onco'n dweud yn lled amal
  Mor dda yw 'mod i yn sleit;
Doda dy bwyse am funed
  Ar yr hen stwmpyn fan hyn;
Rwy'n siŵr fod y tamed rhipyn
  Ma'n mynd bob dydd yn fwy tynn.

"Sdim lot 'da un o ni eto
  I fod ar y ddaear hon,
Mae'r criw o'dd gyda ni'n gwitho
  Wedi mynd i gyd o'r bron:
Ond, clyw, os taw fi aiff gynta'
  'Sdim ishe un ffŷs yn y byd;
Dim ond rhyw bedwar i gario
  A chwpwl o ffrindie – 'na gyd.'

D. H. Culpitt

ER COF

(am David Mainwaring, Pen-y-groes)

Mae'r gwynt yn chwipio'n llym dros Lyn Llech Owain,
Yn chwipio'n llafnau llym dros Lyn Llech Owain –
A'r wybren uwch fy mhen fel darn o blwm;
A minnau'n cofio'r Cyfaill sydd yn huno –
Dy gofio di, fy nghyfaill, sydd yn huno
Yn hedd y fynwent fach mewn cleidir trwm.

Cofiaf y boen a fu fel cledd yn naddu –
O awr i awr, o ddydd i ddydd yn naddu
Dy gorff gosgeiddig yn ei nychtod hir;
A thithau'n crino megis pren a ddrylliwyd –
Yn crino, crino megis pren a ddrylliwyd
Gan hwrdd y storm ar fencydd noeth y tir.

Mae pentref hoff dy serch yn llonydd heno –
Pob lôn a thŷ a theml yn llonydd heno –
A phob llafurwr gonest ger ei dân;
Ond gwn dy fod fel cynt mewn llawer cegin –
Yn adrodd stori bert mewn llawer cegin –
A'r teulu'n gwrando mewn diddigrwydd glân.

Cei hefyd lwybr yn rhydd i lawer glofa –
Drwy'r llwch a'r llaid i gaddug llawer glofa
I ddweud dy bennill yn y talcen glo;
A sŵn y mandrel dur a'r ddril yn tewi –
Yn nwylo glowyr creithiog crwm yn tewi –
A'r gwyll yn fyw gan chwerthin ambell dro.

Na! nid oes fedd yn ddigon dwfn i'r gladdu –
Un hirgul fedd yn ddigon dwfn i'r gladdu –
Er tewi o arabedd glân dy fin;
Cawn eto gwrdd fel cynt ar derfyn dyddgwaith –
I drafod hen fwynhad ar derfyn dyddgwaith –
A mwynach fydd ei flas na'r mwynaf gwin.

David Rees Griffiths (Amanwy)

114

BALED LLYN LLECH OWAIN

Nid oes sicrwydd pwy yw'r Owain yn y stori – dywed rhai mai un
o farchogion Arthur, eraill mai Owain Glyndŵr ac eraill fyth
Owain Lawgoch.

Un p'nawngwaith braf a thesog,
A'r haul yn lliwio'r lli,
Daeth marchog dan ei ludded blin
Dros ael y Mynydd Du.

Ymlwybrai'n llesg ac unig
Drwy'r hesg a'r crinwellt cras,
A'i farch yn pwyo'r doldir sych
Am ffynnon oer ei blas.

Heibio i Graig y Ddinas
Y daeth dros ddôl a thwyn,
Nes cyrraedd crib y Mynydd Mawr –
Erwau y grug a'r brwyn.

Ac yno, clywodd fwrlwm
Rhedegog rhwng y gro,
A gweled ffynnon ddisglair, glir
Â llechen iddi'n do.

Mawr fu llawenydd Owain
Wrth ddrachtio'r grisial win
A lifai'n rhad o'r ffynnon fach
I farch a theithiwr blin.

Anwesai'r hesg y ffynnon
Yn esmwyth ar bob llaw,
Gan isel furmur – 'Cofia'r llech,
Neu dial, dial ddaw.'

Mynych a hir fu'r drachtio
O ddŵr y ffynnon glir
A'r ddau i suon, 'Dial ddaw',
Syrthiodd i drymgwsg hir.

115

Disgynnai'r nos yn ddistaw,
A'r haul a giliai draw
I ddwys ddarogan rhwng y brwyn –
'Daw dial – dial ddaw'.

Ond doedd 'na ddim a dorrai
Ar hedd a melys hun
Yno ar ael y Mynydd Mawr
Y ddau gysgadur blin.

Cododd yr haul o'i wely,
A'i wres gynhesai'r wawr
Gan alw'n awr o'u melys gwsg
Dylwyth y llwyn a'r llawr.

Dihunodd Owain yntau
I furmur dyfroedd mwyn
Yn taro'n esmwyth ar y graig
A sisial rhwng y brwyn.

Cododd mewn brys a phryder,
A chofiodd am ei fraw
Am lechen do, a'r rhybudd clir –
'Daw dial – dial ddaw!'

Chwiliodd ymysg y cerrig,
A thuriodd lannau'r lli –
Ble roedd y llechen oedd yn do? –
Pa le – pa le roedd hi?

Ond na – doedd dim i'w weled
Ond llyfndra dyfroedd maith,
Ac awel fwyn yn crychu'r don
Wrth chwarae ar ei thaith.

Yn drist, cyfrwyo eto
Y march gan dremio'n syn
Wrth weld mai bwrlwm ffynnon fach
A drodd yn eang lyn.

Brawychu a charlamu
A dianc dros y bryn
A charnau'r march yn wreichion tân
Wrth hollti glannau'r llyn.

Os ewch i Lyn Llech Owain,
Cewch weld – mae hynny'n ffaith –
Ôl carnau'r march ddaeth yno gynt
Un dydd, o'i siwrne faith.

Ac Owain? Ple'r aeth hwnnw?
Does neb ŵyr ple'r aeth o –
Ddim mwy na phle mae'r llechen fach
I'r ffynnon gynt fu'n do.

Aeres Evans a John Marshall Morgan

CWM GWENDRAETH

Fe gefaist lawer ergyd yn dy dro
ar hyd canrifoedd maith hen frwydrau hir:
o faes Gwenllian lew i'r meysydd glo
mae olion craith gormeswyr ar dy dir;
daw eto wres adfywiad yn ei dro –
nid oes un nos na ildia dorriad gwawr –
i godi unwaith eto falchder bro
a deffro meysydd mwyn y Mynydd Mawr.

Hen gwm cyfforddus, cynnes – gwyn dy fyd
am fagu rhai na fynnent blygu glin
rhag ildio modfedd deg o'th erwau clyd
i'r rhai nad ydynt deilwng o dy lun;
fel llinyn aur trwy grai canrifoedd hud
arhosodd chwys eu hymdrech yn y tir
a gwaed eu haberth hael yn gofeb ddrud
i'r rhai a fynnent sefyll dros y gwir.

Pe byddai modd i'r bryniau adrodd hynt
a helynt hen atgofion s'lawer dydd,
mi ganent gân am Jac Ty Isha gynt,
am ferched Beca dewr, a bois y ffydd
a safent pan oedd gormes yn y gwynt
a sawr sofraniaeth Sais ar ffâs a ffridd;
a fynnent nad oedd gwerth mewn papur punt
os nad oedd hawl i'r werin rodio'n rhydd.

Cyhoeddent gydag angerdd yn eu cri
barodrwydd Llangyndeyrn i fynd i'r gad
a mynnu fod 'na fodd i droi y lli
yn erbyn rhai a hawlient ddŵr yn rhad,
ond uwch y cyfan, dwedent gyda bri
fod gwaed Gwenllian eto yn y pridd
yn galw arnom heddi, ti a fi,
i rannu'i hawydd hi am Gymru rydd.

Emlyn Dole

ERW'R WERIN

Mae darn o dir ar Fanc-y-llyn,
Lle caiff y grug gynefin;
Ac enw'r fan ar lafar gwlad
Medd nain, yw Erw'r Werin.

Dôi pobloedd lawer at y lle,
Ar haul a thywydd gerwin:
I gasglu swnd ar ddiwrnod gŵyl
Am ddim o Erw'r Werin.

O osod hwn yn drwch ar rip,
A boleg arni'n ddibrin,
Fe dorrid ŷd a gwair yn lân
Ag awch o Erw'r Werin.

Bûm innau yno'n wyn fy myd,
Dan lewyrch haul Mehefin,
Yn casglu rhywbeth gwell na swnd
Ar randir Erw'r Werin.

D. H. Culpitt

CÂN YSBYTY'R MYNYDD MAWR

Maen nhw'n siarad iaith toriade,
Ond yn gweud bod du yn wyn,
Bod yr haul tu draw i'r gorwel
A bod enfys dros y bryn;
Maen nhw'n addo rhyfeddode –
Dim ond cefnu ar y cwm,
Lle mae gwên y lili bengam
Ar y cloddie'n garped trwm.

Cytgan
Un gân sy gen i yn awr;
Gweld briallu'r gwanwyn nesa'
Drwy ffenestri'r Mynydd Mawr.
Un gân sy gen i yn awr;
Cael gweld melyn y briallu
Drwy ffenestri'r Mynydd Mawr.

Maen nhw'n mesur gwerth y werin
Yn y cwm wrth werth y bunt,
Gan anghofio'r penderfyniad
A fu yma'r dyddiau gynt,
'Dyn nhw'n twyllo neb wrth honni
Nawr fod un ac un yn dri,
Byddwn yma'r gwanwyn nesa',
Waeth y cwm yw'r lle i ni.

Maen nhw'n byw mewn byd ffigure
'Mhell o'm cartref cynnes clyd,
Lle mae'r gog yn canu'n gynnar
O Lan-non i Borth-y-rhyd,
Lle mae dawns yr ŵyn yn cymell
Gwanwyn newydd yn ei dro,
Byddwn yma pan ddaw'r gwanwyn
Unwaith eto i'r hen fro.

Anwel John

COFIO LLANGYNDEYRN

Rhywbryd 'nôl yn chwe deg tri
Daeth cynllun i foddi'n tiroedd ni,
Boddi ymhell dros fil o erwe
I ddisychedu Abertawe.

Gosod gwyliwr ar y tŵr,
Cwm Gwendraeth yn sefyll fel un gŵr,
Pawb yn cwrdd ar sgwâr y Llandre
I wrthwynebu Abertawe.

Cytgan
Ildio modfedd, colli troedfedd, colli ffydd;
Neb yn gwyro, pawb yn brwydro, cario'r dydd.

Yn ôl y sôn fe gafwyd stŵr
Pan ddaeth Jones a'r Sais i desto'r dŵr;
Cael ei hel o Allt-y-Cadno
A gât Glan-yr-Ynys wedi'i glwydo.

Mae'r garreg a godwyd ar y sgwâr
Yn deyrnged i ddewrder pobol wâr,
Hawl egwyddor a chydwybod,
Profi'r nerth a ddaw trwy undod.

Emlyn Dole

CERDD GOFFA RYAN

Nid yw Aman yn canu
Ei halaw bert fel y bu.
I gornel dwys o'r Garnant
Dygwyd aur colledig dant
Talent wedi tawelu
A'i beraidd donc i bridd du.

Y clown aeth i'n calonnau,
Craff a brwd er y corff brau;
Y wên fawr ar ddwyrudd fain
Ein harwr, a'i winc gywrain
A hiwmor oedd yn morio
Yn ei wg a'i wenau o.

Ryan a'i gyffro ewig
A'i naid hir i brofi'r brig.
Un llawn gyda'i ddawn doniol,
Berwai o hwyl ymhob rôl
Hen wàg lle bynnag y bu
A'i fawredd mewn difyrru.

Mae'r golomen lwyd heno?
Yn ei phig hi aeth ar ffo
Â deilen ir hudolus
I afael hwyl gwynt fel us.
Lle unig ydyw'r llwyni
A'r llofft o bellterau'r lli.

Nid oes wefr heddiw'n dwysáu
Hyder a nwyd i'r nodau.
Mwy, o dâp neu ffilm y daw
Hudoliaeth ffrwd ei alaw
A'i hacenion yn cynnal
Awch a hoen atgofion chwâl.

Gwron y sgrin is y gro
Ni ddaw o'i stad ddi-stiwdio
Am un encôr drwy'r ddôr ddu
A'i ddewinol ddiddanu.
Wylwn, wylwn ei gilio,
Ni ddaw hwyl – llonydd yw o.

Vernon Jones

YR HEN GWM

'Daw'r gist o'r gwaith
yn ôl eilwaith,
yn drwm, yn awr yn drymach,
a'i baich o bwysau un bach.
Hyn oedd twyll glofeydd y tir:
a gloddio, ef a gleddir.'

(Heb syched) fe besycha yn ei flaen.
Trof innau'r teli ymlaen.
Fe'i ces o'r blaen –
sgwrs rygbi, capeli, pwll,
rhoi dwy M yn Rhydaman,
bla bla bla, ac yn y bla'n.

Cof y cwm:
coliers i'r *Collier's Arms*
a ffenestri i'r *Lamb & Flag*,
gwŷr â gwaith yn y *Workmen's Hall*,
gwraig a wyddai beth oedd saig i sancteiddio'r Sul . . .

a dyna'r cwm a fu, (hen gwm),
a fydd farw gyda hwn, (hen ddyn).

Mwyach, yn fodd imi fynd,
petrol garej yw llif yr afon goncrit.
Beth mwy a'm ceidw yma ond car?
Lle bu tomen slag pwll Pen-y-banc
mae coed yn tyfu eto o flaen fy nhŷ.

Troi'r teli bant,
troi at y gŵr, marw,
cael nodyn yn ei law:

'Pwy o hen bobl Pen-y-banc
A ŵyr awydd yr ieuanc?'

Tudur Hallam

YR EMLYN

Glo fel gem ddôi o'r Emlyn – i loywi
Aelwydydd y dyffryn,
Ag eirias lo bro a bryn
Bythol glyd oedd ein bwthyn.

H. Meurig Evans

O BEN Y MYNYDD DU

Draw dan Dro'r Gwcw mae'r Duwdod yn drefnus,
Ei bennod porfeydd dan ofal y perthi
Yn magu gwyrdd rhagor adnod ac adnod ar gae.
Mwynhau maldod cael ffiniau am unwaith y mae.

Tu hwnt, mae'i efengyl ym mrasdir y siroedd
Yn gwasgu ei digon dan glawr y gorwel.
Tir Dewi a Thybie a Theilo yw hwn,
Ddeheubarth aeddfed eu cymoni crwn.

Ond y mae'r crwt ynof am neidio ar y mynyddoedd,
Llamu ar y bryniau i Aman yn rhydd
I dolach llywethau f'anwylyd â'm henaid
A'i boddio â'm dod, fi iwrch neu lwdn hydd.

Derec Llwyd Morgan

GWYRDD

O'r dyffryn,
dirwynai'r ffordd fel rhaff wen
dros y Mynydd Du,
o dro'r Derlwyn i dro'r Gwcw,
gan glymu gwlad y glo
a'r erwau gwyrdd ynghyd.

Wedi'r dringo,
gorffwysem wrth y chwarel galch
gan adael i'r gwyrddni ffein gysuro'n llygaid.
Edrychem yn freuddwydiol
ar garthenni gwyrdd y caeau
dan obennydd o gwmwl,
ac ar ffenestri cysglyd y tyddynnod gwyn
yn wincio yn yr haul.

Gwynfe, Llanddeusant, blaenau Tywi,
lle disgleiriai'r goleuni gwyrdd
yn y perthi a'r caeau a'r coed,
y goleuni Cymreig,
y cryndod creadigol
a wreichionodd yn efail Talyllychau,
yn Llanfair-ar-y-bryn,
ac yn y gannwyll bur
yn Llanymddyfri.

Heddiw,
mae'r un goleuni gwyrdd yn dal i losgi,
ei fflamau'n lledu o Langadog ein gobaith
i ddifa dichell a brad
fel eithin crin
o galonnau dynion.

Bryan Martin Davies

DIM OND DEFAID
sydd ar y Mynydd Du

O'r siglenni ar Fryn Brain, hanner cau dy lygaid
A gweli'r frech wen yn pori'r Mynydd Du.
Cesair o glefyd ydyw, briwsion o'r gwanwyn
Yn gwasgar wedi'u cneifio
I'r haf yn hy.
Cafodd y mynydd ewinedd y gwynt i grafu'r cosi drosto,
Nes bod arno heddiw ambell graig yn graith o liw y galchen, –
Esgyrn wedi tyfu trwy'r croen
Fel y tyfodd Joseff mâs o'i siaced fraith.

A Gorffennaf gŵyl yw hi.
Mae'r cyfan heddiw yn dwli ar yr haul,
A'r claf ei hun, y llydan tew, yn llanw'r promenâd,
Fel pe bai ar lan y môr, ar air y meddyg,
'Rôl prydau bwyd yn cymryd llwyaid o fwynhad.
Dano, nid oes ond deng milltir o Aman
A ninnau o'r siglenni ar y twyn yn gweled mynydd bras
Yn croesi ei benliniau ar Dro'r Derlwyn.

Pobol glan môr ydym ni iddo,
Gwrthrychau'r 'Hylo' byr, balch, a'i stampiai'n gwsmer haf
Pe torrai'n gyfarch.
Wele ni wragedd lletу, a gwŷr ei gadair gwsg
Yn swil i'w oglais a'i ddihuno
I roi tocyn iddo: 'Dim ond whech, syr',
Ac yn ymatal o barch, ac ofn brech.

O Dduw, na baem ni'n ewn i neidio yn anghwrtais ato,
Ei gael yn un ohonom ni,
A pheidio â rhythu arno
Fel plantos ar ddieithrwch,
Fel rhai cyfrifol ar ddyn du.

Derec Llwyd Morgan

LLYTHYR AT GYFAILL

Annwyl Ben,
    Ma sgetyn fach nawr er bues i sha thre
lawr fan 'co,
lle mae gwylanod Abertawe fel lampe gwynon
uwchben tipie'r Waun,
a chwmwle pert o Wynfe, fel angylion mowr
yn hedfan dros y Mynydd Du,
lle ma'r hewlydd yn dringo
o Bont y Ffarmars i'r Derlwyn
ac o'r Banwen i'r Fo'l
fel dynon mas o wynt,
a lle ma colfenni Cwm Gwaith
fel menywod gwyrdd sy'n rhoi.

Ma sbelen fach nawr er bues i'n crwydro
lawr fan 'co,
mynd draw dros y Comin i Dairgwaith
fel cerdded i mewn i un o ddarlunie Herman,
a'r paent heb sychu,
mynd lan i'r Cruge,
lle ma'r afon yn adrodd englynion Gwydderig
ac yn canu emyne Watcyn Wyn yng nghonsart yr haf,
ac wedyn,
mynd trwy Gwmgarw, hibo'r Ca' Bach i'r Rhosfa,
lle ma defed Dan Jones yn toddi
fel twmpe o 'ira ar y twyn.

O's, o's wir, w,
ma yffarn o amser
er bues i sha thre
lawr fan 'co.

        Cofion,
        Bryan.

Bryan Martin Davies

129

YR AFON

Gwrandewch ar sŵn yr afon,
Gwrandewch ar ei sibrydion;
   Clywch beth a ddwêd
   Wrth lifo 'mlaen,
Gwrandewch ar ei hatgofion.

Mae'r cwm a sŵn yr afon
Yn arddel hen arferion;
   Mae'r bywyd gynt
   Yn dod yn ôl
Fel nodau hen alawon.

Wrth droedio'i glan i'r Gilfach,
I mi doedd dim yn harddach;
   A cherdded fry
   I ffermdy'r Gof,
A'r pysgod na bu'u glanach.

Fe gofiai'r Twrch 'Brynhenllys'
Fe gofiai'r Llynfell hoffus,
   Hen waith y 'Clinc',
   A llwch y glo
Yn newid lliw ei gwefus.

Ond nid oes yno heno
Sŵn tinc mandreli'n curo.
   Ond yn y fro
   Mae creithiau dewr
Y dynion a fu yno.

Mae'r cwm a'i gymeriadau
Yn rhan o'r hen rinweddau,
   Ac ôl eu traed
   Ar lannau'r Twrch
Yn cerdded yr hen lwybrau.

Mi glywaf y gerddoriaeth
A miwsig ei pheroriaeth
A'r lleisiau'n dweud
Mai braint oedd bod
Yn rhan o etifeddiaeth.

Dafydd Hopcyn

LLYGAD LLWCHWR

O geg y graig
o enau'r garreg
daw'r llafar hwn.

Seiniau meddal yn murmur
ar dafod y dŵr,
brawddegau, a'u cyflythreniad disglair
yn diferu'n gythryblus fyw,

yn ddafnau mân
yn niwl enfys
o lythrennau a nodau
yn hen, hen ganiadau,

neu yn rhu bell o lifeiriant
o wddf gwyn ac eco
y garreg galch.

Llafariaid lliw ewyn yn troelli,
cytseiniaid yn clecian
rhwng y clogwyni
a'r geiriau'n bobian
a throchi'n ogof o oleuni.

A thros wefusau gwyrdd y mynydd,
rhwng y grug a'r rhedyn tymhorol
mae'r ynganiadau tragwyddol
er y dechrau'n disgyn
gyda'u neges.

Hen lifeiriant grymus
newydd a gloyw
a dardd yn gerdd barhaol
o dywyllwch cyfrin
meddwl y mynydd
du.

Einir Jones

CYSGOD SÊR

Dofn oedd afon Gwili
  Gynt i'm llygaid syn; –
Cysgod sêr oedd ynddi:
  Bas oedd hi, er hyn.

Gwelais ddynion enwog –
  Epil bôn y glêr;
Gwŷr a bair im eto
  Gofio'r cysgod sêr.

A gaiff Cymru ddynion
  A fo'n sêr i'r byd?
Druan, sêr yr afon
  Sydd yn mynd â'i bryd.

J. Gwili Jenkins

133

OLION HANES

i

Pwy sy'n dod i fin y Llwchwr
    Gyda'i gwrwgl ar ei gefn?
Pwy sy'n rhwyfo mor ddi-ddwndwr
    Drwy yr afon lydan, lefn?
Pa anwadal ddawn sydd iddo? –
Wedi blino'i fraich wrth rwyfo
    Try, cyn glanio 'nôl drachefn.

Yn ei nwyfus lygaid duon
Mae goleuni'r mabinogion,
Mae'n breuddwydio ar ddihun.

Ond pwy yw? beth yw ei neges?

★   ★   ★

Dyma'r Celt – medd gwefus Hanes:
    Medd y bryniau – Dyna ddyn.

ii

Pwy sy'n dod i fin y Llwchwr,
    Gyda'i darian yn ei law?
Mae ei 'bont' yn croesi'r llifddwr,
    Drosti cerdd i'r ochor draw.
Mae ei 'balmant' ar y mynydd,
Mae ei 'aradr' yn y meysydd;
    Fel ei 'eryr', mae'n ddi-fraw.

Ysgrifenna ddeddf â'i fysedd,
Bery'n hwy na deg canmlynedd –
    Mae am ieuo'r byd yn un.

Ond pwy yw? beth yw ei neges?

★   ★   ★

Y Rhufeiniwr – meddai Hanes:
    Medd y bryniau – Dyna ddyn.

iii

Pwy sy'n dod i Gastell Llwchwr,
    Ar ei farch, mewn arfau dur?
Gwêl, yn llygad y breuddwydiwr,
    Gyfle i ladrata'i dir!

Gall ddioddef, heb roi fyny –
Crefft a ddysgodd i orchfygu:
    Gŵyr am gael, ni ŵyr am gur.

Y mae gormes yn ei lygaid,
Y mae gweddi yn ei enaid –
    Mae am ddeufyd iddo'i hun.

Ond pwy yw? beth yw ei neges?

★ ★ ★

Dyna'r Norman – meddai Hanes:
    Medd y bryniau – Dyna ddyn.

iv

Pwy sy'n rhuthro dros y Llwchwr,
    Yn ei drystfawr gerbyd tân?
Gweithia'n lew – ond nid heb ddwndwr,
    A myn geiniog am ei gân.
Mae ei anadl ar y moroedd,
Mae ei fys ar gyfandiroedd –
    Nid yw'r llaw bob dydd yn lân!

Gyda'i gleddyf gýr ei grefydd;
Ac mae'n disgwyl i'r holl wledydd

Fod ym mhopeth fel ei hun.
Ond pwy yw? beth yw ei neges?

★　★　★

Dyna'r Sais – medd gwefus Hanes:
　　Medd y bryniau – Dyna ddyn.

iv

Dyn yw dyn ar bum cyfandir,
　　Dyn yw dyn o oes i oes:
Dyn – yn esgyn i'r ucheldir;
　　Dyn – yn fud ar lwybrau loes.
Da im' garu'm gwlad fy hunan;
Gwell yw caru'r ddaear gyfan –
　　'Does i'r ddaear ond un Groes!

Dyn sy'n cario baich y gwledydd;
Dyn a biau'r holl fynwentydd –
　　Dyn, â'i gartref yn y nef.

Dyn yw dyn; byw yw ei neges:
Trwy bob newid yn ei hanes,
　　Saif y ddaear drosto ef.

Elfed

136

DRWY'R FFENEST HON

Drwy'r ffenest hon cewch olwg glir ar ddarn
  O haf sy'n dod yng nghynt na haf y dre',
A gwawr sy'n hollti'n lanach ar y garn
  I'r meini hen â'u grug yn llosgi'r lle;

Cewch gynaeafau melyn, 'sgubor lawn
  A mwyar Medi'n drwm ar gloddiau'r ffridd;
Coed cyll i'r gorwel agos, haul prynhawn
  A sgathru ŵyn yn gynnwrf yn y pridd.

O wres yr odyn hon dôi'r llwythi calch
  I buro tir yr hen gymdogaeth wâr; –
Cymdogaeth glòs y seindorf, gwerin falch
  Cae rygbi ac emynwyr mawr Shir Gâr.

A phan fo'r sêr ynghynn yn hwyr y dydd
Drwy'r ffenest hon mae Cymru'n Gymru rydd.

Arwel John

DAW, FE DDAW YR AWR

(Detholiad)

Wyt ti'n cofio'r ysgol fomio
A losgwyd gan dri gŵr?
Y tân a daniwyd yno
Sy'n dal ynghynn rwy'n siŵr,
Llosgwyd yr ysgol,
Dân anfarwol –
Daw, fe ddaw yr awr yn ôl i mi.

Wyt ti'n cofio teulu'r Beasleys
Yn gwrthod talu'r dreth,
A gwŷr Llanelli'n gofyn
'Y ffylied dwl! I beth?'
Cofio'u haberth
A'u gweledigaeth –
Daw, fe ddaw yr awr yn ôl i mi.

Wyt ti'n cofio sgwâr Caerfyrddin
Pan oedd Emyr yn y llys,
Y dyrfa fawr yn ddistaw
Ac yntau'n cael deuddeg mis
Am fod yn Gymro,
Wyt ti'n cofio?
Daw, fe ddaw yr awr yn ôl i mi.

Wyt ti'n cofio'r gŵr bach rhadlon
A'i wên fel toriad dydd,
Ei sgwrs fel bwrlwm afon
A'i freuddwyd am y Gymru Rydd,
Wyt ti'n cofio
Cawr o Gymro?
Daw, fe ddaw yr awr yn ôl i mi.

Wyt ti'n cofio'r straeon lliwgar
Am bridd y filltir sgwâr,
A'i gnoc ar ddrws dy galon
Wrth sôn am y bywyd gwâr,
Wyt ti'n cofio
Cawr o Gymro?
Daw, fe ddaw yr awr yn ôl i mi.

Wyt ti'n cofio sgwâr Caerfyrddin
Pan gododd Cymru'i phen,
Llawenydd yn ein dagrau
A Gwynfor yno'n ben,
Wyt ti'n cofio
Nos y gwawrio?
Daw, fe ddaw yr awr yn ôl i mi.

Dafydd Iwan

CRWYDRO SIR GÂR

Hyfryted oedd troi i'm cynefin
Yng nghwmni hen gyfaill am dro,
Gan oedi a syllu ar harddwch
A gwrando hanesion y fro;
Cael crwydro'n ddiofal dan asur y nef
A galw mewn capel ac efail a thref.

Cael awel ar glôs Pantycelyn,
A chroeso mewn hendre a bwth,
Synhwyro aria'r Abaty,
Dan arogl o loddest a glwth;
A gweled mewn breuddwyd y ddau fynach gwyn
Yn codi eu helfa a'u rhwydi o'r llyn.

Roedd emyn ar dafod pob ceunant,
A phregeth mewn meysydd a choed;
Yn oedfa'r clogwyni a'r gilfach,
Ni flinai, ni phallai fy nhroed;
Diflannodd yr oriau, fe'm rhwydwyd yn lân,
Fe sychodd y tegell, a llwydodd y tân.

D. H. Culpitt

CYDNABYDDIAETHAU

Hoffai'r golygyddion a'r Wasg gydnabod y ffynonellau isod:

Myrddin ap Dafydd: 'Yr Asgellwr', 'Cydweli', *Pen Draw'r Tir* (Gwasg Carreg Gwalch).

Geraint Bowen: 'Cywydd Croeso Eisteddfod Llanelli 2000', *Rhaglen Swyddogol Eisteddfod Genedlaethol Cymru 2000* (Llys yr Eisteddfod Genedlaethol).

D. H. Culpitt: 'Hen Efail Thomas Lewis, Talyllychau', 'Y Shifft Olaf', 'Crwydro Sir Gâr', 'Ymson Glöwr Methedig', 'Erw'r Werin', *Awelon Hydref* (Gwasg Gomer).

Bryan Martin Davies: 'Llythyr at Gyfaill', 'Gwyrdd' *Cerddi Bryan Martin Davies* (Cyhoeddiadau Barddas).

Dyfrig Davies: 'Ddoe, Heddiw,Yfory', gan yr awdur.

Eleri Davies: 'Er Cof am Noel John', *Llên Dinefwr* (Gwasg Gomer).

Gareth Davies: 'Yr Angladd', *Cwm Gwendraeth* (Gwasg Gomer).

J. Eirian Davies: 'Dyffryn Tywi', 'Naw Milltir', *Cyfrol o Gerddi* (Gwasg Gee).

Lona Llywelyn Davies: 'I George', *Hel Dail Gwyrdd* (Gwasg Gomer).

Roy Davies: 'Parc y Strade', 'Soned Goffa Elfed Lewys', gan yr awdur.

Emlyn Dole: 'Cofio Llangyndeyrn', *Ymlaen â'r Gân* (Gwasg Gomer); 'Cwm Gwendraeth', gan yr awdur.

Menna Elfyn: 'Arsenic ac Aur yn Nolaucothi', 'Chwarae Plant', 'Y Tro Olaf', *Aderyn Bach Mewn Llaw* (Gwasg Gomer).

Aeres Evans a John Marshall Morgan: 'Baled Llyn Llech Owain', *Llên Dinefwr* (Gwasg Gomer).

D. Gwyn Evans: 'Rhydcymerau 1976', *Cerddi '77* (Gwasg Gomer).

H. Meurig Evans: 'Abaty Talyllychau', *Llên Dinefwr* (Gwasg Gomer); 'Yr Emlyn', *Llinellau Coll* (Gwasg Gomer).

Jac Evans: 'Hynt Tywi', *Y Genhinen* 25–3.

Peter Hughes Griffiths: 'Gwenllian', gan yr awdur.

David Rees Griffiths (Amanwy): 'Er Cof', *Caneuon Amanwy* (Gwasg Gomer).

W.T. Gruffydd: 'Cywydd Sir Gâr', *Llên Dinefwr* (Gwasg Gomer).

Tudur Hallam: 'Yr Hen Gwm', *Cwm Aman* (Gwasg Gomer).

Dafydd Hopcyn: 'Gweddillion', 'Yr Afon', *Gweddillion a Cerddi Eraill* (Gwasg Gomer).

Mererid Hopwood: 'Llwybr Norah', gan yr awdur.

Dafydd Iwan: 'Doctor Alan', 'Y Wên na Phyla Amser', 'Daw, fe Ddaw yr Awr', *Holl Ganeuon Dafydd Iwan* (Y Lolfa).

J. Gwili Jenkins: 'Cysgod Sêr', *Shirgar Anobeithiol* (Cyngor Sir Gaerfyrddin).

John T. Jôb: 'Y Crythor o Ben Dein', *Llên Dinefwr* (Gwasg Gomer).

Arwel John: 'Cân Ysbyty'r Myndd Mawr', *Ymlaen â'r Gân* (Gwasg Gomer); 'Drwy'r Ffenest Hon', *Llên Dinefwr* (Gwasg Gomer).

Bobi Jones: 'Llansteffan', *Cerddi Bobi Jones* (Cyhoeddiadau Barddas).

Ceri Wyn Jones: 'Phil Bennett', 'Carwyn', gan yr awdur.

D. Gwenallt Jones: 'Sir Gaerfyrddin', 'Yr Hen Ŵr o Bencader', 'Y Ferch o Gydweli', 'Rhydcymerau', 'Y Capel yn Sir Gaerfyrddin', 'Sir Forgannwg a Sir Gaerfyrddin', '*Golden Grove*', *Cerddi Gwenallt: Y Casgliad Cyflawn* (Gwasg Gomer).

Dic Jones: 'Hedfan Isel', *Golwg Arall* (Gwasg Gomer); 'Dinefwr', *Sgubo'r Storws* (Gwasg Gomer).

Einir Jones: 'Llygad Llwchwr', *Cwm Aman* (Gwasg Gomer); 'Yr Arboretum yn y Gelli Aur', *Shirgar Anobeithiol* (Cyngor Sir Gaerfyrddin).

J. R. Jones: 'Penrhiw', *Crafion Medi* (Gwasg Gomer).

R. Gerallt Jones: 'Medi yn Llanymddyfri', *Cerddi 1955–1989* (Cyhoeddiadau Barddas).

Tudur Dylan Jones: 'I Rhiannon Evans', 'Cywydd Croeso Gŵyl Gerdd Dant Caerfyrddin', 'Menter Iaith Myrddin', 'Elfed Lewys', 'Tŷ Gwydr Llanarthne', *Adenydd* (Cyhoeddiadau Barddas); 'Sir Gaerfyrddin', 'Y Gymraeg', gan yr awdur.

T. James Jones: 'Dyfed a Siomwyd', *Eiliadau o Berthyn* (Cyhoeddiadau Barddas); 'Diwrnod i'r Brenin', *Diwrnod i'r Brenin* (Cyhoeddiadau Barddas).

Vernon Jones: 'Cerdd Goffa Ryan', gan yr awdur.

Emyr Lewis: 'Aberglasne', gan yr awdur.

H. Elfed Lewis: 'Olion Hanes', *Caniadau* (Isaac Foulkes, Lerpwl).

Iwan Llwyd: 'Llys Rhys Grug yn y Dryslwyn', *Stwff y Stomp* (Gwasg Carreg Gwalch); 'Talacharn 2001', gan yr awdur.

Derec Llwyd Morgan: 'O Ben y Mynydd Du', 'Dim ond Defaid', *Cefn y Byd* (Gwasg Gomer).

W. Rhys Nicholas: 'Y Gangell', 'Trostre', *Cerdd a Charol* (Gwasg Gomer).

Geraint Lloyd Owen: 'Gwynfor Evans', (Gwasg Gwynedd).

Gerallt Lloyd Owen: 'Gwenllïan', *Cilmeri a Cherddi Eraill* (Gwasg Gwynedd).

R. Williams Parry: 'Pantycelyn', *Yr Haf a Cherddi Eraill* (Gwasg Gee).

Robat Powell: 'Cywydd Graf', 'Cywydd Coffa Carwyn', *Haearn Iaith* (Gwasg Gomer).

Margaret Bowen Rees: 'Trannoeth Is-Etholiad Caerfyrddin', *Cerddi Heddiw* (Gwasg Gomer).

Idris Reynolds: 'Tŷ Fferm Pantycelyn', *Ar Lan y Môr* (Gwasg Gomer).

W. Leslie Richards: 'Ffair Llandeilo' 'Dinefwr', *Telyn Teilo* (Gwasg Gomer).

Dafydd Rowlands: 'Dau Grwt yn y Gelli Aur', 'Y Sgidie Bach', *Meini* (Gwasg Gomer).

Eurig Salisbury: 'I Ysgol Bro Myrddin', 'I Mererid', gan yr awdur.

Talog Williams: 'Sosban fach', *Sosban Fach* (Gwasg Gomer).

W. Crwys Williams: 'Y Garreg Filltir', *Cerddi Bardd y Werin: Crwys* (Gwasg Gomer).

W. Nantlais Williams: 'Ar y Ffordd i Dalyllychau', *Llên Dinefwr* (Gwasg Gomer).

William Williams: 'Rwy'n Edrych Dros y Bryniau Pell', *Caneuon Ffydd* (Pwyllgor Cydenwadol Caneuon Ffydd).

Cyfres Cerddi Fan Hyn

Mynnwch y gyfres i gyd

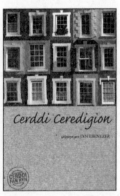

CYFROLAU I DDOD:

Caerdydd	–	golygir gan Catrin Beard
Clwyd	–	golygir gan Aled Lewis Evans
Sir Gaernarfon	–	golygir gan R. Arwel Jones
Y Cymoedd	–	golygir gan Manon Rhys
Meirionnydd	–	golygir gan Siân Northey
Y Byd	–	golygir gan R. Arwel Jones a Bethan Mair

£6.95 yr un